FRIDA KAHLO

FRIDA KAHLO

Alejandro Torres

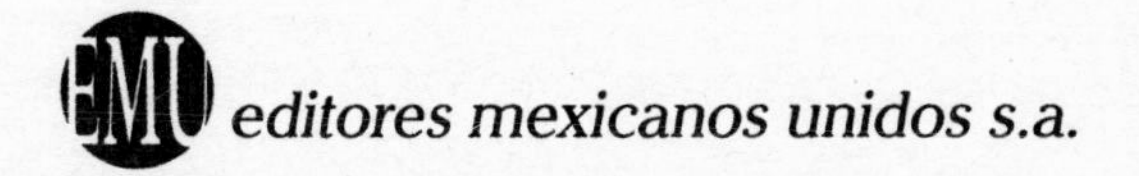

Luis González Obregón 5, Col. Centro,
Cuauhtémoc, 06020, D. F.
Tels. 55 21 88 70 al 74
Fax: 55 12 85 16

editmusa@prodigy.net.mx
www.editmusa.com.mx

Miembro de la Cámara Nacional
de la Industria Editorial. Reg. Núm. 115.

1a edición: Abril de 2006
2a reimpresión: Julio de 2009

ISBN 978-968-15-1872-1

Impreso en México
Printed in Mexico

Prólogo

Las principales compañías editoriales y cinematográficas han hecho de Frida Kahlo un producto comercial, debido a lo cual es necesario recordar la esencia de esta mujer.

Frida Kahlo es más de lo que aparentan sus imitadoras, quienes en su mayoría son mujeres frívolas que no tienen idea de lo que es el arte.

Frida fue una mujer que se dedicó a la pintura por necesidad, no por gusto o moda. Se le considera uno de los símbolos de la mujer liberal e independiente, pero Frida estaba muy alejada de los movimientos feministas y era una excelente ama de casa que dedicaba la mayor parte de su tiempo en atender a su esposo, Diego Rivera.

La personalidad de Frida era muy sencilla, contrario a lo que comúnmente se cree. Le gustaba la música popular, así como los bailes de salón. Se aburría en los conciertos de música clásica o en la ópera. Aborrecía a los intelectuales y a los millonarios. Prefería enseñarles a sus alumnos el gusto por la artesanía más que por el arte.

Frida fue un personaje original, cuya obra no tiene precedentes. Con base en figuras patéticas logra conmocionar al espectador, sin importarle la técnica o el estilo. Para ella, el mensaje importaba más que la forma.

El dolor, además del sufrimiento, fue uno de los motivos principales en el arte de Kahlo, cuya vida fue confinada a los malestares y las intervenciones quirúrgicas a raíz de un terrible accidente. Sin embargo, amó tanto la vida que se aferró hasta el último momento para conservarla.

Frida Kahlo consiguió el reconocimiento en Estados Unidos y en Francia, algo que muy pocos creadores mexicanos han conseguido. Su figura es un ejemplo de lo que puede lograrse, aun cuando las afecciones sean terribles e insoportables, cuando se pertenezca al género femenino, en un mundo machista.

José Alejandro Torres

El sincretismo como origen

La historia de Frida Kahlo comienza muy lejos de México: en Baden-Baden, Alemania. Allí nació Wilhem Kahlo, padre de nuestra protagonista, en el año de 1872, aunque tenemos muy pocos datos acerca de su infancia; sin embargo, sabemos que durante su adolescencia, cuando era estudiante, sufrió un accidente que cambiaría su destino. Después de sufrir una terrible caída, Wilhem fue presa de constantes ataques epilépticos, debido a lo cual se vio obligado a abandonar la escuela. A los pocos años del accidente su madre, Henriette Kaufmnann, perdería la vida.

Wilhem se quedó solo con su padre. La relación entre ellos era buena, pero una mujer que había llamado la atención del padre de Wilhem, tomaría el lugar de su madre. Ésta y otras situaciones desagradables influyeron para que Wilhem tomara una decisión drástica: alejarse de Europa para siempre y buscar refugio en México. Su padre, Jacob Kahlo, aunque sorprendido por la decisión, no pudo menos que apoyar a su hijo, así que le dio el dinero suficiente para financiar su viaje rumbo a nuestro país.

En el trasatlántico en que viajó, Wilhem estableció contacto con otros aventureros que deseaban hacer fortuna en tierras americanas. Gracias a estas relaciones, al llegar a México Wilhem conseguiría su primer empleo en la joyería "La Perla", negocio fundado por algunos compañeros de viaje.

Wilhem encontró un país lleno de problemas políticos y sociales, pero con condiciones muy adecuadas para los extranjeros. Pronto se convenció de que México era el lugar perfecto para vivir y no tardó en aprender el español y en cambiarse el nombre. A partir de entonces ya no fue Wilhem, sino Guillermo Kahlo.

Los informes que tenemos acerca de este hombre, nos aseguran que contrajo matrimonio con una mujer mexicana. La relación parecía marchar sobre ruedas, mas la desgracia no tardó en presentarse, pues la mujer perdió la vida cuando estaba a punto de dar a luz por tercera ocasión. Luego de este suceso Guillermo quedó destrozado, pero en vez de encerrarse en su dolor prefirió buscar una compañera para compartir su vida y mitigar la ausencia de su ex esposa.

Matilde Calderón trabajaba con Guillermo en "La Perla". Se trataba de una joven de origen indígena, muy bella y graciosa en su andar. No obstante su analfabetismo, era astuta e intuitiva. Matilde había sufrido una desgracia semejante a la de Guillermo: su ex novio, de origen alemán tambien, se había suicidado frente a ella. Se desconocen las causas del suicidio, lo que sí se sabe con certeza es que Matilde vivía mortificada por aquel terrible evento.

Matilde y Guillermo no tardaron en establecer una relación seria, ya que habían vivido experiencias similares. El noviazgo de estos personajes tendría su coronación un día del 1898, cuando contrajeron nupcias. Matilde influyó de manera determinante en la vida de Guillermo. No sólo le ayudó a superar su tragedia, sino que definió su oficio. Matilde insistía en que Guillermo debía dedicarse a la profesión de fotógrafo. Kahlo, tenía las herramientas técnicas suficientes, ya que su padre había establecido un negocio de fotografía en Alemania. Además, poseía una capacidad de observación muy aguda y sabía manejar a su conveniencia la luz y los efectos de las sombras. En un principio utilizó sus habilidades para abrir un estudio fotográfico donde retrataba a los vecinos del lugar. El negocio generaba ganancias modestas pero suficientes para que Guillermo y Matilde realizaran viajes continuos a los principales sitios de interés mexicanos. La curiosidad y la pasión por la arquitectura y las bellezas naturales de nuestro país, hicieron posible que Guillermo formara una importante colección de fotografías.

Las estampas que Guillermo Kahlo inmortalizó, no tardaron en ser conocidas por el público en general e incluso por los funcionarios de gobierno de la época. Se cuenta que en 1904 Porfirio Díaz encomendó a Guillermo el registro del patrimonio arquitectónico de la nación. Sus fotografías debían ilustrar una serie de publicaciones que saldrían a la venta en 1910, en el Centenario de la Independencia.

Guillermo cumplió al pie de la letra su encargo. Viajó por todo el país una y otra vez para lograr un excelente archivo de imágenes características de México. La fortuna, como se entenderá, rodeó a los Kahlo. Guillermo alcanzó una muy buena fama como fotógrafo y comprendió que debía buscar un hogar digno para su familia. Éste lo encontró cuando se vendieron los terrenos de la hacienda "El Carmen" ubicada en el pueblo de Coyoacán. Guillermo aprovechó la oportunidad para adquirir un lote de 800 metros en donde construiría la famosísima casa azul.

Tres años después de que se edificara el hogar de los Kahlo, el 6 de julio de 1907 a las ocho y media de la mañana, cuando las lluvias predominaban en el valle de México, nacería la protagonista de esta biografía. Guillermo pensó en un nombre adecuado para su hija. De inmediato se convenció de que "Frida" (que significa "Paz") sería un bello legado para su descendiente. Matilde no esperó más para llevarla a bautizar y ahí comenzaron los problemas, ya que el sacerdote no estaba de acuerdo con asignarle a la niña un nombre tan extraño. Guillermo se disgustó con el eclesiástico e insistió en que su hija debía llamarse Frida. Al fin, el sacerdote aceptó, siempre y cuando se le bautizara con otros dos nombres que aparecieran en el onomástico. Finalmente, Magdalena Carmen Frida Kahlo sería bautizada y luego registrada ante las autoridades civiles.

"Me crió una nana que lavaba sus senos cada vez que iba a mamar", solía contarle Frida a sus amistades. Lo más probable es que la anécdota sea cierta, ya que Matilde Calderón enfermó a los pocos días de haber dado a luz a la pequeña Frida. El hecho de que su nana fuera de origen indígena marcaría para siempre la vida de nuestra protagonista, quien defendió incansablemente el nacionalismo.

Sus tres primeros años de vida los vivió sin sobresaltos, protegida por sus hermanas Matilde y Adriana. Desgraciadamente, la Revolución mexicana estalló y los días tranquilos de la infancia cambiaron por otros de mucha violencia. A la edad de cinco años, Frida ya había sido testigo de varias escaramuzas:

"Con mis propios ojos vi la batalla entre los campesinos de Zapata y los carrancistas. Mi ubicación era muy buena. Mi madre abrió las ventanas que daban a la calle de Allende para dar entrada a los zapatistas y se encargó de que los heridos y los hambrientos entraran por ellas a la sala de estar. Ahí los curó y les dio gorditas de maíz, lo único que se podía conseguir de comer durante esos días en Coyoacán..."

En efecto, la escasez era sinónimo de aquella época. Por supuesto, los Kahlo fueron víctimas de las circunstancias. Guillermo no tuvo más trabajo debido a la desaparición del gobierno porfirista, y se vio en la necesidad de buscar nuevos encargos con particulares, pero esto se dificultaba, ya que la situación del país era apremiante y fue necesario que hipotecara la casa azul y que vendiera algunos muebles franceses que tenía en su sala. Incluso, se vio obligado a rentar algunos cuartos de su residencia para solventar los gastos cotidianos.

No obstante, las penurias y las revueltas sociales, todo nos indica que la infancia de Frida fue muy agradable. Su padre mostraba cierta preferencia hacia ella, aun cuando había nacido Cristina, la última hija. Guillermo, sin duda, alababa la inteligencia y vivacidad de Frida. El sentimiento de nuestra protagonista hacia su padre era recíproco: lo admiraba por su disciplina y su ternura, y más aún porque comprendía todos los problemas de su edad. Mientras Frida jugaba, él acostumbraba tocar el piano, leer y jugar dominó con algunos amigos que lo visitaban.

Frida, junto con su hermana Cristina, asistió a un colegio preescolar donde una profesora chapada a la antigua les contaba historias acerca de los descubrimientos científicos y astronómicos. En cierta ocasión les explicó la formación del Sistema Solar, prendiéndole fuego a una hoja de papel periódico, al tiempo que con la otra mano sujetaba una naranja que le daba vueltas al fuego. La imagen resultó tan espectacular como aterradora a los ojos de Frida, lo que desencadenó un penoso accidente de incontinencia. La maestra se enteró de que la pequeña había mojado su ropa interior y se la cambió por la de una niña muy pobre. Frida mostró más indignación que vergüenza, ¿cómo podían vestirla con ropas de otra niña? Desde entonces alimentó un odio tremendo hacia la pequeña. Una tarde Frida encontró a la pequeña en la calle y corrió para agredirla; después de golpearla y tirarla al suelo, comenzó a asfixiarla. Por fortuna, el panadero del lugar llegó para salvar a la inocente niña.

En otra ocasión, Frida sacó de equilibrio a su hermana mientras ésta hacía sus necesidades en la bacinica. Cristina, furiosa, no encontró otra respuesta que espetarle a su hermana: "Tú no eres hija de mi mamá y mi papá. A ti te recogieron en un basurero". Según declaraciones de Frida, la sentencia le impresionó a tal punto de volverla una niña completamente introvertida. Poco a poco fue ensimismándose; prefería los ratos de soledad a la compañía de su hermana o de sus amiguitas y la imaginación se impuso a la realidad como suele suceder en muchos niños. Un mundo fantástico fue sustituyendo el entorno cotidiano de la niña y así se hizo de una amiga que vivía en un lugar más allá de la realidad. Para ir a su encuentro, era necesario que Frida atravesase un espejo a manera de Alicia en el país de las maravillas. La pequeña, con su aliento, empañaba el cristal, dibujaba un óvalo a modo de puerta y allí comenzaba su aventura: imaginaba que podía volar hasta la casa de su amiga, con quien externaba sus temores y problemas. Cuando terminaba de confesarse, la pequeña Frida salía de ese mundo fantástico para regresar a la cotidianidad. Entonces gritaba y reía, satisfecha por haber platicado con su gran amiga.

Durante su infancia, Frida enfrentó dos experiencias terribles. Según nos cuenta, mientras paseaban en Chapultepec, le tocó presenciar uno de los ataques epilépticos que aquejaban a su padre: "De repente cayó cuan largo era, con el cuerpo convulsionado, el rostro congestionado tornándose violáceo, los ojos fijos y con baba en la comisura de los labios..." Lo que sucedió después, fue el preludio de la enfermedad de Frida:

> ...durante el mismo paseo, mala suerte, tropecé con las gruesas raíces salidas de un árbol y me hice mucho daño al caer. Al día siguiente, cuando quise levantarme, tuve la sensación de que unas flechas me atravesaban el muslo y la pierna derecha. Sentí un dolor terrible, no podía apoyarme en la pierna. Entonces me dio miedo no poder andar nunca más... Un médico diagnosticó un "tumor blanco". Otro fue categórico: "poliomielitis..."

Durante nueve largos meses su padre la cuidó con dedicación ejemplar. Frida debió guardar cama y ser bañada con agua de nogal y compresas calientes. A pesar de los cuidados y los ejercicios de fisioterapia a que era sometida, sus piernas y pies detuvieron su desarrollo normal. Al recuperarse, Frida comprobó que sus extremidades inferiores eran más delgadas que lo común. Debido a la anomalía en sus piernas, sus compañeros le llamaban Frida "la coja" o Frida "pata de palo". La pequeña se dedicó con empeño a ejercitarse nadando, corriendo y haciendo todo lo posible para que los músculos se desarrollaran. Aunque no logró muy buenos resultados estéticos, sí consiguió ser campeona de natación y otros deportes.

Frida fue cómplice de su hermana Matilde cuando ésta decidió escaparse con su novio. Al enterarse de la huida de su hija, Guillermo Kahlo se encerró en su salón, mientras que Matilde Calderón fue presa de la furia y la desesperación; por fortuna, ninguno de los desquitó su enojo con Frida.

Cuatro años después, Matilde regresaría al hogar materno. Durante ese período, Guillermo Kahlo convivió estrechamente con Frida. Juntos realizaban excursiones donde él, pintaba paisajes de aficionado sobre un lienzo, además de revelarle a Frida los secretos de la fotografía. El permanente contacto con las imágenes sería de gran apoyo para Frida, años después, cuando se convirtió en pintora autodidacta, y comenzó a ser conocida en los ambientes artísticos de México.

La incipiente radical

Después de certificarse en el Colegio Alemán de México, Frida presentó el examen de ingreso a la Escuela Nacional Preparatoria. Como era de esperarse no tuvo problemas para aprobar la evaluación y en los meses posteriores fue aceptada.

Guillermo le otorgó todo el apoyo posible a su hija, aunque doña Matilde no veía con muy buenos ojos su decisión: Frida era una de las 35 mujeres que había entre un estudiantado de 2 mil hombres.

La Escuela Nacional Preparatoria, ubicada en lo que hoy es el Museo de San Ildefonso, era uno de los principales centros académicos del país. El nacionalismo imperaba en la Preparatoria, ya que en sus aulas se exaltaban la ciencia, la tecnología y el arte mexicanos, encabezado este último por grandes muralistas como Orozco, Siqueiros y Diego Rivera.

En 1922, Frida ingresó a la Preparatoria siendo ya una adolescente de rasgos muy finos que llamaba la atención de los hombres. Su figura era esbelta y sus cabellos negros enmarcaban un rostro de una blancura atractiva. Difícilmente se le veía sonreír, casi siempre el gesto adusto era lo que dominaba en su rostro. Siguiendo la costumbre del Colegio Alemán, vestía falda tableada color azul marino, camisa blanca con corbata, calcetas y un sombrero de cintas. El espíritu de Frida, al igual que el de los revolucionarios, era bastante inquieto. Kahlo ha descrito su adolescencia como una etapa llena de

euforia e inquietud. Tenía hambre por conocer acerca de todos los temas de nuestra sociedad y creía ciegamente en el humanismo. Frida, al parecer, no sufrió problemas de personalidad, sino que pronto cobró conciencia de sí misma.

Sus calificaciones eran muy buenas, no así su comportamiento. A veces insultaba a los profesores y hasta tuvo la osadía de pedir la renuncia de algunos. Faltaba a las clases que consideraba aburridas y prefería la lectura a las materias obligatorias.

Como era de esperarse, el alumnado de la Preparatoria se dividía en varios grupos. Unos se dedicaban a actividades deportivas, otros preferían los temas religiosos, aquellos editaban un pequeño periódico, estos otros eran amantes de la filosofía. Los grupos literarios, a su vez, se dividían en tres bandos: los "Contemporáneos", los "Maestros" y los "Cachuchas" (así llamados debido a las gorras que usaban). Estos últimos eran los más radicales, les gustaba lanzar discursos provocadores y eran anarquistas de corazón. Leían todo lo que cayera en sus manos: filosofía, poesía, manifiestos, panfletos. Se identificaban con las ideas de José Vasconcelos, quien en aquellos tiempos era el secretario de Educación. Acerca de estos personajes existe una anécdota trascendental en la vida de nuestra protagonista. Al ser expulsada, debido a su mal comportamiento, por el director de la Escuela Preparatoria, Vicente Lombardo Toledano,

Frida con seguridad y firmeza implacables, acudió ante José Vasconcelos para exigir que se le reubicara en la Preparatoria. Vasconcelos, como enemigo político de Lombardo Toledano accedió a la petición y aprovechó para mandarle un mensaje: "Si no puede controlar a una niña como ésa, no está capacitado para ser el director de esta institución".

El grupo de los "Cachuchas" estaba compuesto por: Alejandro Gómez Arias, José Gómez Robleda, Manuel González Ramírez, Carmen Jaime, Agustín Lira, Miguel N. Lira, Jesús Ríos y Valles, y Alfonso Villa, y a ellos se uniría la joven Frida, quien se identificó con sus ideales. La más grande travesura de este grupo la dirigieron contra el maestro Antonio Caso. Aunque era uno de los más venerados académicos de la época. Caso era considerado por los "Cachuchas" como un conservador, por lo que este grupo de jóvenes decidió colocar un cohete de 15 cm de largo y una mecha que duraba 20 minutos, exactamente arriba de donde Caso daría un discurso. Los "Cachuchas" echaron una moneda al aire para designar quién prendería la mecha y la suerte cayó en José Gómez Robleda, quien recuerda los pormenores del incidente:

> Yo me quedé y prendí la mecha. Entonces bajé al Generalito (el salón donde Antonio Caso daba su discurso) y me senté junto al prefecto de las alumnas.

Al poco rato explotó el cohete. ¡Barruuum! Se rompieron los cristales y una lluvia de vidrio, piedras y grava cayó encima de Antonio Caso.

Los "Cachuchas" eran, en resumen, un grupo rebelde. Cuando los grandes muralistas llegaron a la Preparatoria para pintar las salas de la escuela, de inmediato los "Cachuchas" se dedicaron a molestarlos. Aprovechaban la distracción de los artistas para prender fuego a los andamios. Algunos de ellos, como Diego Rivera, tomaron la decisión de portar pistolas para protegerse de ellos.

Diego Rivera era ya un personaje de la vida nacional. Su arte, netamente social y revolucionario, era reconocido en varias partes del mundo, pero su personalidad era lo que más llamaba la atención. Se trataba de un hombre robusto y alto, cuya vestimenta contradecía las costumbres de la época, pues solía vestirse como si fuera un obrero.

Diego Rivera tenía a su cargo el mural del anfiteatro de la Escuela Preparatoria. Frida, en cuanto vio al reconocido pintor se sintió atraída. Se cuenta que mientras conversaba con un grupo de amigas reveló lo siguiente: "Anhelo tener un hijo con Diego Rivera. Algún día se lo voy a decir". Pero, su forma de demostrar atracción era distinta de lo común. En vez de coquetear con el pintor le gastaba múltiples bromas, como robarle su canasta de comida. En una ocasión decidió enjabonar la escalera del anfiteatro, en espera de verlo rodar por el suelo, pero lo que Frida ignoraba era que el pintor era un hombre precavido: Rivera pisó cada uno de los escalones con sumo cuidado y así evitó la caída.

El muralista tenía fama de mujeriego. En aquella época estaba casado con Lupe Marín, aunque se sabía de sus amoríos con varias modelos como Nahui Ollín. Cada tarde Lupe Marín solía llevarle la comida a su esposo y Frida no desaprovechaba la ocasión para cultivar los celos de la mujer: se asegura que Kahlo acostumbraba esconderse en el anfiteatro para gritar: "¡Eh, Diego! ¡Ahí viene Nahui!"

Cuenta Diego en su autobiografía que en una ocasión Frida ingresó al anfiteatro y caminó hacia el andamio donde él trabajaba para pedirle que la dejara observar. Diego aceptó de buena gana, aunque no así su esposa. Al cabo de un rato Lupe Marín no pudo contener los celos y empezó a insultarla. Frida, no hizo caso a la mujer y prefirió seguir concentrada en los pincelazos del muralista. Lupe se cansó de hacerle todo tipo de gestos amenazantes pero no consiguió que la joven se retirara. Al final, Lupe sintió un poco de admiración hacia la muchacha por su valor y le dijo a su esposo: "¡Mira a esta niña! Por pequeña que sea, no teme a una mujer alta y fuerte como yo. Realmente me cae bien". Frida presenció el trabajo del pintor por más de tres horas y, al final, se despidió. Éste fue el primer encuentro cercano que tuvo la ilustre pareja.

Pero Diego era una fantasía en aquel entonces. En la realidad, Alejandro Gómez Arias, jefe de los "Cachuchas", era el novio de Frida. Se trataba de un joven atractivo, inteligente, audaz, buen orador, de cuerpo atlético y, por si faltara un detalle, muy buen estudiante. Al principio, Gómez Arias había sido una especie de preceptor para Frida, poco después la relación se volvió un poco más íntima hasta derivar en el noviazgo. Sin embargo, la familia Kahlo no veía con buenos ojos la relación. Tanto Matilde como Guillermo le prohibieron terminantemente a su hija que viera a Gómez Arias. Pero el espíritu rebelde de Frida se impuso y la joven aprovechaba cualquier ocasión para verlo a escondidas, para escribirle cartas que le hacía llegar con su hermana Cristina y para escaparse de la casa a altas horas de la noche.

En 1923 una nueva guerra civil se vivía en las calles de la Ciudad de México. Se trataba de una rebelión en contra del presidente Álvaro Obregón. Los combates eran cotidianos y sangrientos. Este conflicto y el período vacacional, puso cierta distancia entre Frida y Alejandro. Ella deseaba estar cerca de los combates, pero en Coyoacán se sentía como en otro país. En las cartas que intercambiaban le solicitaba una y otra vez a su novio que le contara todo lo que acontecía en la capital.

Un poco más tarde, a los 18 años de edad, Frida mostraba una imagen distinta: llevaba el cabello recogido en un chongo, medias de seda y zapatos de tacón alto. Además se había vuelto mucho más extrovertida y un cuanto simpática. Lo más destacable de este período fue que la joven entró a trabajar en una maderería. La situación económica de su familia era inestable, además, Frida tenía un gran sueño: viajar a Estados Unidos. Su labor en la maderería se limitaba a llevar la cuenta de la madera que salía a diario, y revisar el color y la calidad de la misma. Su sueldo era de setenta y cinco pesos al mes, de los cuales no gastaba un solo centavo. Claro, el estudio no podía descuidarse, así es que la joven desarrollaba esta labor por las tardes,

mientras que en las mañanas acudía a las aulas de la Preparatoria. Por si fuera poco, Frida ayudaba a su padre en el estudio fotográfico.

Después de la maderería, Frida buscó trabajo en otra parte. Así, llegó a la biblioteca de la Secretaría de Educación, donde presentó una solicitud que le fue aceptada. En ese sitio tendría lugar un escándalo, ya que una de las empleadas de la biblioteca trató de seducir a la joven Frida. El incidente llegó a oídos de la familia Kahlo y por supuesto, Frida perdió el empleo.

Su búsqueda continuaba y en breve encontró lugar dentro de una fábrica, aunque las condiciones laborales no fueron de su agrado. Pero lo que encontró después fue mucho más agradable. Gracias Fernando Fernández, a un amigo de su padre, consiguió ser aprendiz de grabado.

Las vacaciones de 1925 Frida las aprovechó para leer a varios filósofos como Schopenhauer y Nietszche y a poetas como Oscar Wilde y López Velarde, y todo parecía ir muy bien. Por aquella época Frida acostumbraba pasear por los rincones de la ciudad y convivir con su novio Alejandro. En una ocasión, ambos jóvenes subieron a uno de los camiones que atravesaban la ciudad. El vehículo iba repleto de pasajeros debido a la hora del día. La desgracia estaba por ocurrir: el tranvía que iba a Xochimilco se encontró con el camión en el que viajaban Frida y Alejandro. Aunque todo indicaba que el chofer aceleraría para librar el golpe, sucedió lo contrario: el camión quedó estático sobre las vías y el impacto no se hizo esperar. El tranvía arrolló al vehículo, arrastrándolo lentamente. Los pasajeros sufrían dentro del camión debido a los golpes que se deban entre sí. Frida lo recuerda como un choque silencioso y pausado. Fue una experiencia terrible, pues la joven sufrió lesiones múltiples en todo el cuerpo. Ella misma cuenta que, debido al impacto, el pasamanos le atravesó la cadera. Alejandro había quedado debajo del tranvía, pero con las fuerzas suficientes para levantarse y buscar a su compañera. Subió a lo que quedaba del camión y encontró a Frida tirada en el suelo, casi desnuda y misteriosamente cubierta por un polvo de oro. Frida no había perdido la conciencia, aunque sí los sentidos; no veía, no escuchaba, no sentía nada, pero tenía presente lo ocurrido. Uno de los sobrevivientes notó que un objeto había atravesado el cuerpo de Frida y gritó: "¡la chica, tiene algo en la espalda…!" Alejandro quedó impresionado al ver que el objeto que le atravesaba el cuerpo era el pasamanos del camión y sin pensarlo dos veces cargó a Frida para llevarla a una mesa de billar que algunos samaritanos habían sacado de un café. El hombre que había gritado, se acercó para atender a Frida y lo primero que hizo fue arrancar el tubo que la atravesaba. El grito que lanzó Frida fue tan profundo doloroso y horrendo que la sirena de la ambulancia no se escuchó. Gómez Arias y la mayoría de los testigos estaban seguros de que Frida no podría sobrevivir a un accidente tan espantoso.

La ambulancia llevó a la joven hasta el hospital de la Cruz Roja ubicado en San Jerónimo. Ni siquiera los médicos que pretendían operarla tenían fe en su salvación. La familia Kahlo se enteró mucho tiempo después, cuando Matilde, la hermana de Frida, leyó en el periódico la noticia del accidente. De inmediato corrió al sanatorio donde se hallaba Frida para conocer su estado de salud. La noticia fue tan impactante que Matilde Obregón perdió el habla casi por un mes, mientras que Guillermo enfermó y tuvo que guardar cama.

Milagrosamente, Frida sobrevivió a la operación y su hermana Matilde fue quien se encargó de los cuidados pertinentes. Matilde hacía las funciones de una enfermera, le llevaba libros, le leía en voz alta y preparaba algunos alimentos para la convaleciente. Además, gozaba de una simpatía innata que contagiaba a Frida.

Los "Cachuchas", amigos entrañables, no tardaron en visitarla para llevarle regalos. Pero ni las risas provocadas por su hermana ni las visitas de sus amigos podían evadir una realidad: Frida había sufrido terribles daños en el cuerpo, se había fracturado algunas vértebras lumbares y la pelvis, tenía once fracturas en el pie derecho, el codo izquierdo luxado, peritonitis aguda y cistitis. Asimismo, Frida había sufrido daños severos en los órganos genitales, ya que el pasamanos le había atravesado desde el abdomen hasta la vagina.

Las recomendaciones del médico fueron tan claras como estrictas: Frida tenía que utilizar un corsé de yeso durante nueve meses y debía guardar reposo absoluto por lo menos dos meses.

Después de treinta días, Frida fue dada de alta del hospital, pero en casa tuvo que hacer caso a los médicos y resignarse a permanecer en cama. Los dolores en la espina dorsal la atormentaban tanto como los de la pierna derecha. Las pesadillas acompañaron a la joven en su convalecencia. Eran constantes las imágenes de dolor que se vislumbraban en su sueño. En sus cartas a Alejandro describe todo el sufrimiento que le embargaba, los movimientos que le causaban dolor, sobre todo cuando intentaba incorporarse. La joven tenía prohibido terminantemente tratar de sentarse, así que debía pasar todo el tiempo recostada. Para su infortunio, las visitas disminuyeron. Sus amigos, los "Cachuchas", difícilmente tenían tiempo para ir hasta Coyoacán, así que Frida pasaba la mayor parte del tiempo sola, además, Gómez Arias no contestaba sus cartas por razones desconocidas (se rumora que tenía relaciones con otra muchacha de la Preparatoria).

Después de varios meses en soledad y de guardar cama, Frida pudo apoyarse y salir a la calle. No sólo eso, sino que se atrevió a tomar un camión que la llevara al centro de la ciudad. Cuando arribó al Centro Histórico, se dirigió a la Catedral para encender seis cirios y colocar una ofrenda en el altar de la virgen de Guadalupe. Incluso tuvo el ánimo y la fuerza suficientes para ir a la casa de Alejandro, pero no lo encontró.

Pasó mucho tiempo para que Frida volviese a la vida normal, aunque hizo hasta lo imposible por retomar su rutina diaria. Sin embargo, un médico descubrió que tres vértebras estaban fuera de su lugar. La recomendación fue dolorosa: Frida debía volver a la cama. Amargamente, la joven tuvo que obedecer al doctor. En esta ocasión fue Matilde, la cariñosa madre, quien la ayudaría a salir del dolor y el tedio.

En efecto, la señora Kahlo tuvo una muy buena ocurrencia: junto con Guillermo y Adriana transformaron la cama de Frida en un lecho mucho más acogedor, una cama con dosel. Pronto el mueble fue terminado y para rematar la obra se instaló un espejo en el techo de la recámara. "Así podrás verte siquiera", le dijo su madre. Sin embargo, el espejo no complació del todo a la joven. De hecho, le horrorizó observar la imagen de su ruina, su cuerpo lastimado. Pero aquí surgiría el oficio de su vida. Sin esperarlo, un imperioso deseo de dibujar se hizo presente en Frida. Por su puesto, su modelo sería ella misma. Pronto solicitó a su padre la caja de lápices de colores que él guardaba en su cuarto y se puso a pintar.

Su primer autorretrato lo dedicó a Alejandro Gómez Arias. En él podemos notar a una Frida delicada, bella y sin rastro alguno de dolor. De alguna forma Alejandro conoció el cuadro y esto sirvió para que la joven pareja reiniciara su relación. Gómez Arias se sintió tan conmovido que estuvo varios días cuidando a Frida. Sin embargo, los padres de Alejandro no estaban contentos con la relación. A pesar de que Frida no podía moverse la consideraban una muchacha "demasiado especial". Alejandro hizo caso a sus progenitores y se separó de Frida, argumentando que debía viajar a Europa.

No obstante la distancia, Frida le escribía una y otra vez a su querido Alejandro. En sus cartas hablaba del dolor, del sufrimiento, con un tono un cuanto optimista; le hablaba del tedio y de sus sueños por viajar a otras partes del mundo en cuanto se recuperara. Por supuesto, esperaba el regreso de Alejandro, lo más pronto posible. Pero no fue así y Frida pasó otro largo período de soledad.

Para esas fechas los padres de Frida habían enfermado. Guillermo sufría continuamente de ataques epilépticos, lo mismo que Matilde Calderón. La economía de los Kahlo estaba en ruinas. En la casa azul se hacían grandes esfuerzos para costear los corsés que debía utilizar Frida, quien en medio del dolor tenía como único refugio la pintura.

Su encuentro con Diego Rivera

Alejandro Gómez Arias regresó a México a finales de 1927. Por esas fechas Frida había recuperado la salud, al grado de que podía llevar una vida casi normal. Claro, los dolores aún embargaban su cuerpo y en especial la pierna. Por este motivo no pudo reingresar a la Preparatoria pero no perdió la oportunidad para volver a la convivencia con sus compañeros, no obstante que casi todos se encontraban inscritos en la Universidad.

El signo de aquella época eran las manifestaciones y los congresos nacionales de estudiantes. Los debates se centraban en los siguientes temas: la lucha por el poder entre José Vasconcelos y Pascual

Ortiz Rubio, y la búsqueda de la autonomía universitaria.

El Partido Comunista había llamado a Diego Rivera, quien se encontraba en Rusia, para que apoyara la campaña de Vasconcelos. Diego era todo un nacionalista, y no pudo más que atender al llamado. Sin embargo, su vida sentimental se impuso a su participación en la vida política de nuestro país. Se cuenta que al llegar a México, Lupe Marín lo recibió de muy mala forma; al parecer, sabía de las aventuras amorosas de su esposo. Finalmente, Diego no pudo hacer nada para que Vasconcelos venciera a Ortiz Rubio ni para evitar que su compromiso con Lupe Marín se rompiera en forma definitiva.

A partir de entonces Diego Rivera dio rienda suelta a su vida amorosa. A pesar de que no era muy agraciado físicamente, gozaba de reconocimiento y de una buena posición económica. Las mujeres disfrutaban su plática y se asegura que las más bellas deseaban resaltar sus encantos al lado de un hombre tosco e indudablemente feo. Algunos biógrafos aseguran que las mujeres eran quienes buscaban a Diego, en especial las norteamericanas que "sentían que una cita con Rivera era tan imprescindible como una visita a las pirámides de Teotihuacán".

Además, Rivera era un gran admirador del género femenino. En una declaración a un reportero admitiría:

> Por naturaleza, los hombres somos unos salvajes. Lo seguimos siendo hoy en día. La historia demuestra que el primer progreso fue realizado por las mujeres. Los hombres preferimos permanecer brutos, peleándonos y cazando. Las mujeres se quedaron en casa y cultivaron las artes...

Debido a su calidad de artista, Diego buscaba la belleza de los cuerpos femeninos. "Podría asegurarse que le obsesionaba la perfección de las mujeres."

Hay muchas versiones acerca de cómo se reencontraron Frida y Diego. Algunos aseguran que sucedió en la casa de Tina Modotti. Esta bella mujer italiana había sido amante de Rivera, cuando posó para él, en la Escuela de Chapingo. Por su parte, Frida conocía a Tina gracias a Germán del Campo, quien era un líder estudiantil de tintes radicales. Frida y Tina simpatizaron de inmediato y era muy común que Kahlo acudiera a las reuniones que organizaba la italiana.

La versión oficial, sin embargo, es decir, la que siempre comentó Frida a los medios es la siguiente:

En cuanto se recuperó, Frida se dio a la tarea de mostrar sus cuadros. Sus amigos, e incluso algunos artistas como Orozco, recibieron su trabajo de muy buen grado. Por supuesto, Frida fue en busca del hombre que tanto le había llamado la atención durante su estancia en la Preparatoria. Armada de valor fue a buscarlo a la Secretaría de Educación, donde el muralista trabajaba. Lo encontró en su andamio haciendo algunos trazos. Sin mediar un saludo, Frida le solicitó que bajara. Diego accedió y escuchó a la joven: "Oye, no vengo a coquetear ni nada, aunque seas mujeriego. Vengo a mostrarte mis cuadros. Si te interesan, dímelo, y si no, también, para ir a trabajar en otra cosa y así ayudar a mis padres". Frida le mostró los tres retratos que llevaba. Diego los consideró uno por uno y se dio cuenta de que la joven tenía talento. Según el testimonio de Rivera:

> No mostraban ninguno de los trucos que, por lo regular, distinguen el trabajo de principiantes ambiciosos, que los utilizan en nombre de la originalidad. Poseían una sinceridad plástica fundamental y una personalidad artística propia. Comunicaban una sensualidad vital, complementada por una capacidad de observación despiadada, aunque sensible. Evidentemente, esa muchacha era una verdadera artista.

Al principio, Frida Kahlo creyó que los comentarios de Diego eran originados más por su interés en su belleza que en los cuadros. Poco a poco, se convenció de que las palabras del maestro eran honestas.

Entonces le propuso que la visitara en su domicilio, donde tenía otros trabajos que podrían interesarle. Diego apuntó la dirección de la joven y juntos acordaron verse el siguiente domingo.

Cuando estaban a punto de despedirse, Diego Rivera reconoció a la joven que lo había interceptado. Era la misma niña que años antes lo contemplara mientras laboraba en los murales. Entonces, sorprendido, exclamó: "Pero tú eres..." Frida, casi tapándole la boca le respondió: "Sí, ¿y qué? Fui la del auditorio, pero eso no tiene nada que ver con lo de ahora. ¿Todavía quieres ir el domingo?"

Diego Rivera acudió a la cita, y no fue la única vez. De inmediato se sintió fascinado por la joven artista. Además de considerar sus trabajos se dejaba encantar por la belleza de Frida, quien a su manera lo seducía. Las visitas se hicieron más constantes. Del mismo modo, Frida visitaba con mayor continuidad a Diego en la Secretaría de Educación. Pronto, la confianza entre estos dos personajes creció, al grado de que ella le llamaba "mi cuatacho". En cuestión de días la relación se formalizó, tal como lo recuerda Diego: "Siguiendo un repentino impulso me incliné para besarla. Al tocarse nuestros labios, el farol más cercano a nosotros se apagó y volvió a encenderse cuando nos separamos".

Había mucho en común en esta pareja. A Frida, le molestaba perder el tiempo y platicar con personas que no tuvieran nada que decir. Diego era un tipo cuya charla y anécdotas fascinaban. Además, ambos eran comunistas y rechazaban la moral burguesa. Éste fue quizás el factor determinante. Diego Rivera era uno de los grandes defensores de Carlos Marx y los teóricos socialistas. Frida, por su parte, había abandonado las blusas blancas y en su lugar llevaba camisas negras o rojas con un

broche esmaltado con las figuras del martillo y la hoz. Precisamente así la plasmó Diego Rivera en su lienzo llamado *Insurrección;* una obra que forma parte de la serie de murales *Balada de la Revolución Proletaria,* pintada en el tercer piso de la Secretaría de Educación. En este trabajo, Frida aparece junto a Tina Modotti, Siqueiros y otros comunistas de la época.

Frida Kahlo, por supuesto, vio incrementada su labor artística. Al convivir de cerca con el reconocido muralista, se dedicó a pintar intensamente. Al principio de la relación Frida se dejó influir por el estilo de Rivera, pero pronto el muralista la disuadió con las siguientes palabras: "Tu voluntad tiene que llevarte a tu propia expresión". Es inevitable apreciar la influencia de Diego en el trabajo de Frida. Es muy notable en los lienzos *El retrato de Cristina Kahlo, Retrato de Agustín M. Olmedo, Niña* y *Retrato de una niña,* pintados entre los años 1928-1929.

Cuando Frida le comentó a un amigo que estaba comprometida con Diego Rivera, aquél contestó: "Cásate con él porque serás la esposa de un genio". Sin embargo, no todos reaccionaron igual. La mayoría de los "Cachuchas" se sorprendieron de que Frida prefiriera a un hombre bastante maduro y feo a otros de su edad.

Guillermo Kahlo no puso objeción a que su hija se casara con Diego Rivera. Sabía que el muralista gozaba de una buena fortuna y consideró que sería una buena ayuda para la severa crisis económica que pasaba la familia Kahlo. Sólo consideró pertinente hacerle una advertencia a Diego: "Dése cuenta de que mi hija es una persona enferma y que estará enferma durante toda la vida; es inteligente, pero no bonita..." Quien se mostró ofendida y poco dispuesta a aceptar el compromiso fue la señora Matilde. ¿Cómo podía aceptar que su hija de apenas 18 años se casara con un viejo comunista, gordo y feo? Su negativa fue tan rotunda que buscó a Gómez Arias para que impidiera el casamiento. Alejandro, no tenía ya ningún interés en Frida por lo cual fueron inútiles los esfuerzos de Matilde.

Así, el 21 de agosto de 1929, Frida Kahlo y Diego Rivera se casaron, por supuesto, bajo las leyes civiles de nuestro país, no ante la Iglesia.

> Hice todos los arreglos necesarios en el registro de Coyoacán para podernos casar... Le pedí unas faldas a la sirvienta, quien también me prestó la blusa y el rebozo. Me acomodé el pie con el aparato, para que no se notara y nos casamos.

De esa manera describe Frida el día de su boda. Sólo Guillermo Kahlo asistió a los esponsales y se divirtió tanto en la ceremonia que se levantó de su asiento para decir: "Señores, ¿no es cierto que estamos haciendo teatro?" Después, algunos amigos en común se dieron cita en la casa de Roberto Montenegro. Algunos dicen que Lupe Marín asistió al festejo sólo para burlarse de Frida. Según testigos, en un momento de la reunión se acercó a Kahlo para levantarle la falda y decir: "¿Ven estos dos palos? ¡Son las piernas que Diego ahora tiene en lugar de las mías!"

Frida omite esta anécdota, pero asegura que durante la velada Diego Rivera se embriagó a tal grado que

> ...sacó el arma y le rompió el dedo meñique a un hombre, además de hacer otras cosas. Luego nos peleamos. Salí llorando y me fui a mi casa. Pasaron algunos días hasta que Diego fue a recogerme y me llevó a la casa ubicada en el número 104 de Reforma.

Aunque la casa estaba ubicada en uno de los mejores lugares de la ciudad, el amueblado era austero; sólo había una cama estrecha, un comedor, una larga mesa negra, y una mesa amarilla de cocina, la cual se ubicaba en un rincón de la estancia.

Un poco más tarde, en apoyo a sus amigos comunistas, Diego y Frida dieron alojamiento a David Alfaro Sequeiros, a su esposa Blanca Luz Bloom y a dos miembros de la izquierda mexicana. "Ahí estábamos todos amontonados, debajo de la mesa, en los rincones y en las recámaras", recordaba Frida.

A pesar de que Diego apoyaba en todo al Partido Comunista Mexicano, los miembros más radicales de la organización no tardaron en pedir su cabeza. Rivera tenía bajo su mando la Secretaría General del Partido, pero esto no impidió que muchos levantaran cargos en su contra. Su principal reclamo era que Diego se beneficiaba económicamente con los encargos que le hacía el gobierno. Además, sus nexos con otros grupos de izquierda o con gente que no tenía preferencias políticas eran considerados desviaciones hacia la derecha. Los comunistas ignoraban o pasaban por alto que Diego ofrecía su amistad a quien la mereciera, sin importarle la bandera política que enarbolara. La realidad, y lo único que podía reclamársele a Rivera es que tomaba con poca seriedad su cargo de secretario; comúnmente llegaba tarde a las juntas o de plano se ausentaba.

Diego Rivera se convenció de que sus horas en el Partido Comunista estaban contadas, así es que decidió autoexpulsarse. Fue un acto irónico el cual describe Baltasar Dromundo, uno de los testigos:

> Diego llegó, se sentó, sacó un revólver y lo colocó sobre la mesa, lo cubrió con un pañuelo y dijo: "Yo, Diego Rivera, secretario general del Partido Comunista Mexicano, acuso al pintor Diego Rivera de colaborar con el gobierno pequeño-burgués de México y de haber aceptado una comisión para pintar la escalera del Palacio Nacional. Esto contradice la política del Comité y, por lo tanto, el pintor

> Diego Rivera debe ser expulsado del Partido Comunista por el secretario general del mismo, Diego Rivera". Pronunció su expulsión, se levantó, quitó el pañuelo, agarró el arma y la rompió. Era de barro.

Sin embargo, los ideales de Diego iban más allá de las militancias. Creía en los postulados marxistas y en la lucha contra el imperialismo capitalista. Esto no lo entendieron muchos de sus amigos y decidieron retirarle la palabra. Si su actividad en los asuntos políticos disminuyó, su trabajo artístico se incrementó considerablemente. A fines de 1929 ya tenía completos los murales de la Secretaría de Educación; además, había diseñado el vestuario y la escenografía para el ballet H. P. En la Secretaría de Salubridad realizó el anteproyecto para cuatro vidrieras de colores que debían ser colocadas en el edificio sede de la dependencia gubernamental. Por si fuera poco había iniciado sus murales en la escalera principal del Palacio Nacional, proyecto que concluyó en seis años.

Frida, por su parte, se concentró en su vida de casada y descuidó un tanto su labor artística. En una ocasión en que Diego cayó enfermo, ella se encargó de atenderlo día y noche y cuando se recuperó, Frida solía acompañarlo al Palacio Nacional, por lo que no resultaba difícil verla cerca de él, mientras éste realizaba sus trazos.

Por extraño que nos parezca, Lupe Marín, la ex esposa de Diego, limó asperezas con Frida. No

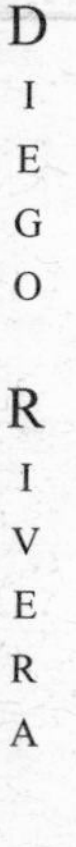

sólo eso, sino que se ofreció para enseñarle a cocinar los platillos preferidos de Rivera. A cambio, Frida inmortalizó la imagen de Lupe en uno de sus lienzos.

El embajador de Estados Unidos en nuestro país, Dwight W. Morrow le encargó a Diego un mural en el Palacio de Cortés, en Cuernavaca, donde se alojaba el diplomático. Rivera comenzó a trabajar y pronto tuvo la oportunidad de vivir con Frida en el mismo palacio, aprovechando que Morrow y su esposa habían viajado a Inglaterra. En ese lugar, la pareja disfrutó de una auténtica luna de miel.

Mientras Diego se concentraba en los detalles del mural, el cual mostraba los ideales de la Revolución, Frida aprovechaba para conocer los sitios aledaños al palacio y, claro, se daba tiempo para continuar con su trabajo artístico. Todo nos indica que nuestra protagonista realizó algunas obras de valiosas durante dicho período.

De aquellos tiempos data el atuendo que Frida comenzó a utilizar: el típico traje de tehuana que la hizo famosa en todo el mundo. Kahlo solía arreglarse el cabello de diferentes formas para acompañar sus trajes multicolores. Quería ser una embajadora del mexicanismo y, por supuesto, deseba encantar a su marido. Diego era amante de todo lo que oliera a folclor, por ello disfrutaba las caracterizaciones de Frida.

Pronto llegó la oportunidad para que esta pareja exhibiera su mexicanismo en otras partes del mundo. En 1930, en la segunda semana de noviembre, la pareja viajaría a San Francisco; el motivo: hacer los murales en el Salón de Almuerzo de la Bolsa de San Francisco y en la Escuela de Bellas Artes de California. Ésta es una de las grandes paradojas en la vida de Rivera: un artista de izquierda contratado por los multimillonarios. Diego se excusaba con declaraciones como la siguiente: "Sólo me queda una cosa: probar que se puede aceptar mi teoría (del arte revolucionario) en una nación industrial en la que gobiernan capitalistas..."

En cuanto se instalaron en San Francisco, Frida y Diego se dieron a la tarea de conocer el lugar. Diego era toda una celebridad que llamaba la atención en el lugar donde pusiera un pie, así es que los reporteros se abalanzaban para conocer sus opiniones respecto a San Francisco. A Frida, apenas si se le tomaba en cuenta. Tímida, debido a la impresión de su primer viaje, se mantuvo a la sombra de su marido, sin atreverse a mostrar el trabajo que realizaba.

Diego se concentraba para pintar su alegoría de California en el Salón de Almuerzo de la Bolsa. Después de conocer el entorno y a algunos personajes se convenció de que su modelo ideal sería la tenista Helen Wils. Frida le otorgó todo el tiempo necesario a su marido para que planeara los detalles de su mural y se distrajo en las calles y principales centros de espectáculos de San Francisco. En una carta dirigida a su amiga Isabel Campos, afirmaba: "Lo más impresionante es el barrio chino. Los chinos son muy simpáticos y jamás en la vida he visto niños tan hermosos como estos".

En cuanto Diego puso manos a la obra, una serie de voluntarios se le unió para dar buen fin a sus murales. Entre ellos abundaban los admiradores de Rivera, casi todos estadounidenses o ingleses. Aunque Diego mostraba aprecio por algunos, Frida nunca hizo amistad con ellos. Con quien sí se relacionó fue con el fotógrafo Edward Weston y con Leo Eloesser, un famoso cirujano, a quien Frida ya había conocido en México. Gracias a él se enteró de que su cuerpo aún padecía los estragos del accidente: tenía una deformación en la espina dorsal y le faltaba un disco intervertebral. Para su infortunio, el pie derecho empezó a deformarse y los tendones del mismo se tensaron tanto que le dificultaban el andar.

San Francisco fue lugar de algunas obras importantes en la carrera de Frida. Así lo demuestran los cuadros dedicados al doctor Eloesser, a Eva Frederick y a la señora Jean Wight. Después de terminar su trabajo en el Club para el Almuerzo de la Bolsa, Diego fue invitado a descansar en la casa de la señora Sigmund Stern, en el campo de Atherton. En ese lugar, Frida y Diego se entregaron al descanso, pero en sus ratos de tedio se distraían realizando trabajos por separado. Diego se dedicó a pintar un mural en la sala de la señora Stern, mientras que Frida realizó un paisaje fantástico intitulado *Luther Burbank.*

Cuando regresaron de sus breves vacaciones, Diego se propuso terminar el fresco que se le había encargado para la Escuela de Bellas Artes. El resultado fue una muestra de ironía y burla hacia el pueblo estadounidense; se trata de un enorme mural que representa los trabajos para hacer un mural. Es una especie de espejo donde los protagonistas son los mismos realizadores del mural, encabezados claro, por Diego Rivera quien da la espalda al espectador. Como era de esperarse el fresco llamó la atención del público, y despertó la crítica de los más conservadores. En general se consideró que Rivera le había hecho una broma de muy mal gusto al pueblo estadounidense.

Las críticas no llegaron a más y Diego y Frida viajaron de regreso a México. De inmediato, el presidente Ortiz Rubio le solicitó a Diego que terminara su mural de las escaleras de Palacio Nacional. Rivera se entregó a sus trabajos al tiempo que verificaba la construcción de su nuevo hogar. Así, con el dinero que había logrado gracias a sus trabajos en Estados Unidos, el reconocido muralista pudo edificar una magnífica residencia ubicada en San Ángel, en lo que hoy se conoce como Altavista.* Se trataba de una construcción dividida en dos partes y unidas sólo por un puente. Mientras se terminaba de edificar, la pareja tuvo que refugiarse en la casa azul de Coyoacán, pero su estancia allí no duró mucho debido a que Frances Flynn Paine, una experta en arte, invitó a Diego para que expusiera su obra en el Museo de Arte Moderno de Nueva York. Por supuesto, Rivera no pudo negarse a aceptar la invitación y abandonó su trabajo en Palacio Nacional.

* Entre los vecinos del lugar, se conoce como Altavista. Debido a que ahí se ubica la calle con ese nombre. Obviamente la zona pertenece a San Ángel.

Frida y Diego arribaron con mucho entusiasmo a Nueva York, sobre todo Rivera, quien desde el barco lanzaba saludos entusiastas a la gente que le esperaba en el muelle. Las atenciones para la pareja de mexicanos fueron excelentes. Se les ubicó en una suite del Hotel Barbizon Plaza; además, Diego tuvo las facilidades suficientes para instalar su estudio en el tercer piso del Museo de Arte Moderno. El trabajo de Rivera consistía en ordenar las obras que se expondrían. Esto le ocupaba todo el día, ya que la exposición debía estar montada en menos de un mes. Frida, por su parte, y como lo hizo en San Francisco, se mantuvo en un segundo plano. Asistía a cuanta fiesta fuera invitado

su esposo, siempre lista para cuidarlo. Así sucedió en un banquete donde Lucienne Bloch, hija del compositor suizo Ernest Bloch, se acercó a Diego para charlar sobre arte. Frida malinterpretó la actitud de Bloch, pues imaginaba que deseaba conquistar a su marido y franca y directa, como solía ser, Frida se acercó a Lucienne para decirle: "La odio". Sin embargo, Lucienne demostró que su interés hacia Rivera no iba más allá de lo profesional, incluso Diego accedió a que fuera una de sus asistentes para montar la exposición. Frida comprobó que esa mujer distaba mucho de ser una rival amorosa, por lo que no tardó en establecer una buena amistad con ella.

En una de sus cartas, Frida expresa sus sentimientos hacia la alta sociedad de Nueva York:

> La *high society* de aquí me cae muy gorda y siento un poco de rabia contra todos estos ricachones de aquí, pues he visto a miles de gentes en la más terrible miseria, sin comer y sin tener dónde dormir, ha sido lo que más me ha impresionado de aquí; es espantoso ver a los ricos haciendo de día y de noche *parties,* mientras se mueren de hambre miles y miles de gentes...

Cuando se inauguró la muestra de Diego Rivera en el Museo de Arte Moderno, Frida presenció una de esas escenas que tanto le chocaban: mientras los cuadros de su esposo exhibían las injusticias sociales, una élite de invitados departía en los salones del museo. Allí estaban también el magnate John D. Rockefeller y su esposa Abby. Lo único que Frida pudo hacer fue mostrarse con su colorido atuendo de tehuana y mantenerse quieta al lado de su marido.

La exposición fue muy bien recibida por la crítica especializada y una multitud visitó el Museo de Arte Moderno. Se asegura que más de 56 mil 500 personas pagaron un boleto para acercarse a la obra del muralista mexicano. Gracias al éxito, Frida pudo conocer a otras personas, no necesariamente de la alta sociedad, con las cuales convivía alegremente. Entonces salió de su tedio y pudo visitar el cine y los restaurantes.

Poco después llegaría una invitación para que Rivera pintara un mural en la ciudad de Detroit. El trabajo sería patrocinado por Edsel Ford, presidente de la Ford Motor Company. Se supone que el mural debía enfatizar la importancia del automóvil en la sociedad moderna. Diego Rivera aceptó y cuando llegó acompañado de su esposa a Detroit aseguró: "he llegado aquí para pintar la gran saga de la máquina".

Detroit no era lo mismo que Nueva York. Se trataba de un lugar totalmente industrializado y con costumbres muy estrictas entre los habitantes. Por ejemplo, en el lugar donde se hospedaron Frida y

Diego, había una leyenda que decía "el mejor domicilio de Detroit". Después de unas semanas de estancia, la pareja mexicana comprendió a qué se refería el letrero: en el lugar no se aceptaban judíos. Rivera de inmediato se presentó ante el gerente y le reclamó: "¡Pero Frida y yo tenemos sangre judía" El administrador del hotel se disculpó y aceptó quitar el letrero y bajar el monto de la renta unos cuantos dólares.

Diego comenzó a trabajar en su proyecto. Pasaba el día entero admirando las máquinas, los automóviles y toda la tecnología utilizada en aquel lugar, al tiempo que aceptaba las invitaciones a convites que se realizaban en la casa de Henry Ford. Acerca de este personaje, sin duda trascendental en la historia moderna, Frida cuenta anécdotas muy curiosas. Se cuenta que Henry Ford además de ser anticomunista era antisemita. Sabiendo esto, Frida Kahlo se atrevió a preguntarle: "¿Es usted judío?" Ford, sin duda, consideró esta pregunta como una broma y siguió invitando a Diego y Frida cuando la ocasión lo ameritaba. Frida, aprovechaba esas invitaciones para escandalizar a las amigas de Ford; solía asistir con su vestido de tehuana, sin joya alguna y en una actitud absolutamente humilde. Sin embargo, Henry Ford se sentía atraído con el atuendo de la mexicana, incluso en varios encuentros llegó a bailar con ella algunas piezas. Al parecer, el inventor de la producción en serie de autos se sintió encantado con la pareja, tanto que decidió obsequiarles un automóvil. A cambio de esto, Diego se comprometió a hacer un retrato de Edsel Ford, hijo del magnate.

La estancia de Frida en Detroit se vio empañada por una mala noticia: tenía dos meses de estar embarazada, y decimos que era una mala noticia ya que Frida, después del accidente, había quedado severamente dañada de los órganos genitales, por lo cual era poco recomendable el embarazo. Pronto empezó el sufrimiento. A pesar de los dolores y sangrados, Frida estaba obsesionada con la idea de tener un hijo. De nada sirvieron las recomendaciones de los médicos, de Diego, e incluso de su amiga Lucienne Bloch quien llegó a Detroit para hacerle compañía; Frida estaba empecinada en ser madre.

Con la llegada del verano la situación de Frida se complicó. Le dolía el útero y sufría ataques prolongados de náuseas. Lucienne cuenta lo que sucedió una noche de julio de 1932:

> El domingo en la noche, Frida estaba muy deprimida y perdía mucha sangre. Se acostó y vino el médico, quien le dijo, como siempre, que no era nada, que debía mantenerse en reposo. Durante la noche escuché terribles gritos de desesperación. Como pensé que Diego me llamaría si podía ayudar en algo, sólo dormité y tuve pesadillas. A las cinco, Diego entró de golpe al cuarto. Estaba todo despeinado y pálido y me pidió llamar al médico, quien llegó a las seis con una ambulancia. Ella

> estaba sufriendo atroces dolores de parto. La sacaron del charco de sangre que se había formado y... los enormes coágulos de sangre que seguía perdiendo. Se veía tan chica, como de doce años. Las lágrimas le mojaban la cabellera.

Frida fue trasladada al hospital Henry Ford. En ese lugar perdería a su hijo y sufriría terriblemente. Kahlo deseaba todo menos estar en el hospital, pero sus deseos de escapar eran frenados por su mala condición física.

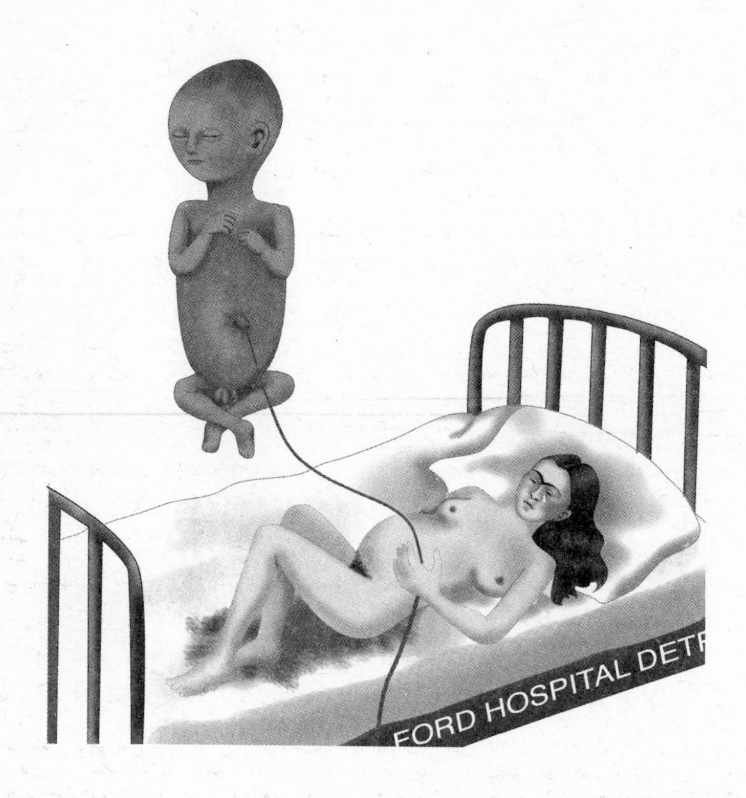

Cinco días después del aborto, Frida reinició su labor artística. Tomó un lápiz y realizó un autorretrato. Después se dio a la dolorosa tarea de dibujar el feto de su hijo. Estos cuadros recogen el sufrimiento experimentado por Frida, tanto en sus sueños como en la ralidad. Diego Rivera declararía al público, años después:

> Frida empezó a trabajar en una serie de obras maestras que no tiene precedentes en la historia del arte, cuadros que exaltan las cualidades femeninas de la verdad, la realidad, la crueldad y el sufrimiento. Ninguna mujer jamás plasmó en un lienzo la misma poesía agónica que Frida creó durante ese período en Detroit.

Cuando fue dada de alta del hospital, Frida regresó al apartamento que compartía con Diego y Lucienne. Estos dos trataron de distraerla por todos los medios, incluso Diego consiguió que le facilitaran un taller de litografía. En ese lugar Frida, acompañada por Lucienne, dio sus primeros pasos en el grabado sobre piedra. Los resultados no fueron muy buenos pero ayudaron a que Frida se concentrara en el arte y no en su experiencia trágica.

Al salir de aquella crisis, Frida solía visitar a Diego en la sede del mural: el Instituto para las Artes. Ahí le llevaba el desayuno dentro de una gran canasta, tal como le había enseñado Lupe Marín. Fue un período breve de estabilidad emocional en la vida de Frida, pero que se vería interrumpido por la llegada de una noticia: Matilde Calderón padecía cáncer en el pecho y se encontraba muy grave. Frida quiso volver a México lo más pronto posible, pero en Detroit no había ningún vuelo directo hacia nuestro país. Desesperada, Frida explotó contra la ciudad y sus adelantos tecnológicos, a pesar de los cuales no podía conseguir un vuelo directo a la Ciudad de México. Ante la situación, Diego de inmediato consiguió dos boletos de tren para que Frida y Lucienne partieran a la mañana siguiente.

El viaje no fue menos doloroso. Debido a la temporada de lluvias el tren se retrasó una y otra vez, ya fuera en la frontera o en las estaciones de nuestro país. Por fin las dos mujeres llegaron a la ciudad de México. En la estación de ferrocarriles las esperaban las hermanas y las primas de Frida quien de inmediato quiso ver a su madre que agonizaba. El triste desenlace llegó aquél 15 de septiembre. Lucienne describe en su diario los pormenores:

> Todas las hermanas asistieron envueltas en chales oscuros y con los ojos irritados. Frida sollozó y sollozó. Fue terriblemente triste para ella. A su padre se lo dijeron hasta la mañana siguiente. A veces, casi enloquece por la idea, pierde la memoria y pregunta por qué no está allí su esposa.

Aunque le mandaba cartas de amor a su esposo, Frida se concentraba en acompañar a su familia; cuidaba sobre todo de Guillermo, con quien paseaba del brazo mientras platicaban. Frida aprovechó también su estancia en México para verificar los avances de la casa en Altavista. Así, comprobó que la construcción tenía adelantos considerables y que en poco tiempo podría ser ocupada.

Miguel Covarrubias y su esposa, Rosa Rolando, organizaron una reunión de despedida para Kahlo. Al siguiente día en la estación de trenes, Frida y Lucienne partían de regreso a Detroit. Familiares y amigos, acudieron a la estación para despedirlas.

A su regreso a Detroit, Frida recibió una gran sorpresa. Su esposo había adelgazado a tal grado que estaba casi irreconocible debido a que se había sometido a una dieta y a que sus preocupaciones y el trabajo habían contribuido a la pérdida de peso. Tanto el clima como la dieta a la que estaba sometido cambiaron un poco el carácter de Diego; de pronto se volvió huraño, tanto que no soportaba la presencia de Lucienne e incluso la de Frida. Además, su horario era agotador. A veces tenía que trabajar toda la noche para dar fin a su mural. Frida comprendió que su marido se encontraba agobiado por el estrés y prefirió distraerse pintando cuadros.

En cuanto Rivera finalizó su obra, comenzaron las críticas hacia su trabajo. La mayoría de la población calificaba los murales de comunistas y obscenos. Sin embargo, Edsel Ford salió a la defensa de Diego argumentando que sus murales eran la materialización del espíritu de Detroit. No sólo él, sino algunos obreros de la ciudad defendieron los murales cuando los grupos más conservadores amenazaron con borrarlos. Esto significó un gran triunfo para Rivera. Al fin la clase proletaria estaba dispuesta a luchar no sólo por la política o la economía, también por el arte.

Rivera y Frida Kahlo abandonaron Detroit con rumbo a Nueva York, pues Nelson Rockefeller, el gran heredero, le había comisionado al pintor un mural.

La fama de Rivera era prodigiosa, tanto que se vendieron entradas para verlo trabajar en el edificio de la RCA, aunque pronto los problemas se avecinaron. El plan de Diego Rivera era realizar un mural que exhibiera los aspectos negativos del capitalismo, la pobreza y las bondades del sistema comunista. En un principio, Nelson Rockefeller no puso objeción al proyecto, pero cuando se enteró de que el muralista mexicano tenía la intención de caracterizar a uno de los personajes de su obra con el rostro de Lenin, comenzaron los malentendidos. Nelson de inmediato le pidió a Rivera que escogiera el rostro de otra persona, o lo dejara sin que pudiera reconocerse. Rivera contestó que no lo haría y que sólo accedería a pintar otro personaje con el rostro de Abraham Lincoln. Nelson Rockefeller envió a sus mensajeros al lugar donde trabajaba Diego Rivera con un cheque por 14 mil dólares que era la cantidad restante del contrato por 21 mil dólares que había firmado el pintor. En pocas palabras, Nelson Rockefeller despedía a Diego Rivera.

Aunque la mayoría de sus asistentes lo apoyó, así como los principales activistas de Estados Unidos, Rivera no pudo hacer nada. El mural que estaba casi concluido tuvo que ser cubierto con una lona alquitranada y una pantalla de madera. Las protestas, sin embargo, no se hicieron esperar. Al siguiente día una multitud se reunió frente a la casa de Rockefeller con pancartas que decían: "Salven la pintura de Rivera" y consignas tales como: "¡Queremos colgado a Rockefeller!" y "¡Libertad para el arte!"

Rivera quedó muy desilusionado y se convenció de que sus intentos por imponer un arte socialista en un país capitalista eran infructuosos. Además, el Partido Comunista Mexicano arremetió en su contra por haber aceptado tantos encargos de gente multimillonaria. Algunos otros proyectos se cancelaron, como el mural que debía realizar para la Feria Mundial de Chicago.

Un pequeño consuelo que recibió el artista mexicano todavía en aquel país fue la propuesta que le hizo la Nueva Escuela para Trabajadores. En ese lugar Rivera tendría la oportunidad de plasmar la historia de Estados Unidos según su punto de vista.

Frida Kahlo apoyó en lo que pudo a su esposo. Lo acompañaba a todas las manifestaciones y conferencias que organizaba, siempre con un gesto de indignación e incluso con lágrimas en los ojos. Rivera estableció nexos muy cercanos con las fracciones comunistas de Estados Unidos, al tiempo que se relacionaba con la joven Lousie Nevelson, una mujer de poco más de treinta años de edad y recientemente divorciada. Todo indica que Diego pasaba mucho tiempo a su lado aprovechando que Frida debía permanecer en su apartamento, debido a los dolores en el pie derecho.

En torno a todo esto había un problema de fondo, difícil de resolver: Frida anhelaba volver a México, mientras que Rivera estaba fascinado con Estados Unidos. Se cuenta que en una ocasión Diego y Frida discutieron tan acaloradamente que el muralista tomó un cuadro de su esposa, el cual representaba algunos cactos, y señalándolo, gritó: "¡No quiero regresar a esto!" Frida replicó con todas sus fuerzas, pero no pudo evitar que su encolerizado marido tomara un puñal e hiciera pedazos el lienzo.

A pesar de las discusiones la pareja siguió unida bajo el mismo techo. Por fin, a principios de diciembre, Diego terminó su trabajo en la Nueva Escuela para Trabajadores y en esta ocasión las cosas salieron bien. Diego ofreció conferencias todos los días después de la inauguración y se quedó en Nueva York hasta gastar el último centavo del dinero que Rockefeller había liquidado por su trabajo inconcluso. Después de pintar dos lienzos para la sede de los trotskistas en Nueva York, se quedó sin un solo dólar y decidió abandonar Estados Unidos. Un grupo de amigos se solidarizó con la pareja y se organizó una colecta para que pudieran viajar de regreso a México. A finales de 1933, Frida y Diego viajaban en una embarcación rumbo a Cuba, escala obligada para llegar al puerto de Veracruz.

Artista y mujer independiente

La casa ubicada en la esquina de Palmas y Altavista sigue prácticamente intacta desde los años treinta. Se trata de una residencia dividida en dos partes. Una parte está pintada de color azul, es de tres pisos, tiene un estacionamiento, una sala-comedor, una pequeña cocina y una terraza de donde parte la escalera que lleva a la otra parte. Ésta es de color rosa, un poco más grande que la azul, tiene un estudio de techo alto y una cocina bastante amplia. El terreno está protegido por una serie de cactos que sirve como barda.

Contrario a lo que pudiera pensarse, la construcción rosa fue ocupada por Diego Rivera y la azul, por Frida. Aprovechando la amplitud del espacio el muralista ubicó un estudio en su edificio que servía ocasionalmente para recibir visitas. Frida, en el edificio azul, tuvo todo el espacio posible para descansar del viaje y de tantos ajetreos que había vivido en el país norteamericano. Se supone que vivir separados, aunque en la misma casa, les daría la libertad de crear a la hora que quisieran y alejarse de convensionalismos matrimoniales.

Pero el poder creativo de Frida y Diego no se incrementó. Kahlo, apenas realizó dos lienzos en un período de dos años. Diego, enfadado por regresar a México, prefirió dar rienda suelta a sus amoríos con Cristina, la hermana de Frida. Éste

fue el golpe más duro para Frida y lo que influyó para que decidiera cortarse el cabello y dejar de usar los trajes de tehuana que tanto le gustaban a Diego. Por si fuera poco tanto Frida como Diego padecían físicamente. Debido a las dietas Rivera estaba decaído, amarillento y sin ánimos para hacer algo. Frida, por su parte, tuvo que ser hospitalizada tres veces durante 1934; para operarse del apéndice, para atenderse por otro aborto y por los problemas continuos en el pie derecho.

Mientras Frida hacía todo lo posible para mantener su relación con Diego, éste aceptó realizar un mural intitulado *México moderno,* pero el colmo de los males fue que Rivera utilizó a Cristina como modelo. Frida no pudo soportar la situación y decidió separarse de Diego y abandonar su residencia. Su refugio fue un pequeño apartamento ubicado en el 432 de la Avenida Insurgentes.

En ese lugar la pintora trató de olvidar a Diego y de independizarse, cosa que al parecer le resultaba muy difícil. Para distraerse organizaba reuniones e invitaba a sus amigos al apartamento, quienes en su mayoría coinciden en que la alegría que mostraba Kahlo era artificial.

Desesperada y un poco inconsciente de sus actos, la pintora decidió viajar a Nueva York en compañía de sus amigas Mary Schapiro y Anita Brenner. Sin embargo, el viaje en avión no fue nada placentero, debido a los aterrizajes forzosos que tuvo que realizar la aeronave. Las tres mujeres, agotadas y temerosas, decidieron abandonar el avión en su última escala y viajar en tren hasta Manhattan. Ya en Nueva York Frida se convenció de una realidad ineludible: amaba demasiado a Diego. Así lo demuestra una carta que escribió en julio de 1935:

> [Ahora sé que] todas esas cartas y aventuras con mujeres, maestras de inglés, modelos, gitanas, asistentes con buenas intenciones, emisarias plenipotenciarias de sitios lejanos, sólo constituyen flirteos. En el fondo tú y yo nos queremos muchísimo por lo cual soportamos un sinnúmero de aventuras, golpes sobre puertas, imprecaciones, insultos y reclamaciones internacionales, pero siempre nos amaremos...

Frida "dobló las manos" y regresó con Diego; no obstante, la relación con Cristina era una realidad. El sufrimiento que experimentaba fue plasmado en lienzos como: *Unos cuantos piquetitos, Recuerdo* y *Recuerdo de la herida abierta,* en los que simbolizaba una y otra vez las injusticias que algunos hombres cometen contra las mujeres.

Frida se instaló de nuevo en su casa azul de Altavista, y pronto vino un cambio de actitud. Ya no era la esposa sumisa, ni el adorno de su marido. Así lo demostró cuando, enfurecida, decidió cerrar la puerta que unía su casa con la de Diego.

Entonces, el muralista se veía obligado a llamar a la puerta de la planta baja e implorarle perdón a su mujer.

Frida comenzó a llevar las finanzas del matrimonio. Esto era causa de nuevas discusiones ya que Kahlo reprendía continuamente a Diego por sus despilfarros. A veces, el pintor prefería comprar una colección de piezas precolombinas a unas prendas de ropa interior. Frida se dedicaba a cuidar los gastos de la casa con sumo cuidado. En una libreta anotaba los detalles de los insumos y de las reparaciones que requería la casa de Altavista.

Frida fue lo bastante benevolente para perdonar a su hermana. No sólo eso, sino que la convirtió en su máxima confidente y compañera. Prefería revelarle sus problemas íntimos a ella que a sus otras hermanas, Adriana y Matilde. Se dice que Diego, Frida, Cristina y sus dos hijos, formaron una auténtica familia en la casa de Altavista.

El hogar, que al principio había simbolizado la separación de la pareja, pronto se convirtió en un centro de atracción para visitantes extranjeros que eran agasajados por Frida y Diego. Entre ellos se encontraban el novelista John Dos Passos, Ella Wolfe y Marjorie Eaton. Por supuesto, las celebridades mexicanas tenían su lugar en los convites de los artistas y no era extraño encontrar a Dolores del Río, Manuel Álvarez Bravo, incluso al presidente Lázaro Cárdenas, departiendo en el patio de la residencia.

Frida Kahlo se entregó también a la diversión que ofrecía la ciudad. Con su esposo y algunos amigos frecuentaba los centros nocturnos de moda. Uno de sus preferidos era el popular Salón México, donde se sentaba para mirar a las parejas que cada noche acudían al lugar a bailar.

Sin embargo, era imposible que Frida olvidara por completo los engaños de su marido. Inevitablemente, la pintora decidió tomar venganza de tanto que le había hecho Diego. Por supuesto, lo hizo con bastante discreción. Frida sostuvo una relación clandestina con el escultor Isamu Noguchi, un hombre atractivo que llegó a México gracias a una beca proporcionada por el instituto Guggenheim. Cuando conoció a Frida, Isamu de inmediato quedó encantado. El romance tomó tintes un poco serios, pues se asegura que ambos decidieron rentar un apartamento para sus encuentros fugaces, ya que la mayoría de las ocasiones debían citarse en la casa azul de Coyoacán.

Por supuesto, Diego Rivera era celoso, y como buen macho no estaba dispuesto a que su mujer lo engañara sin importar que él lo hubiera hecho antes. Diego, quien acostumbraba portar una pistola, no tardó en amenazar al escultor: "La próxima vez que lo vea, lo voy a matar". Y con esta advertencia terminó ese amor furtivo de Frida. Pero sus aventuras con otros hombres no quedarían allí.

En aquella época se vivía en México y en el mundo un conflicto muy grande entre dos sectores comunistas: el trotskista y el Stalinista. El primero apoyaba los ideales de León Trotsky, viejo revolucionario ruso que había luchado junto con Lenin. El otro bando apoyaba a Stalin, quien se había convertido en un auténtico dictador en Rusia. Diego Rivera se inclinaba por el pensamiento y las acciones de Trotsky, lo que motivó la crítica y enemistad de varios miembros del Partido Comunista Mexicano. En cierta ocasión, durante una conferencia sobre la educación progresista, Rivera declaró abiertamente sus filiaciones con Trotsky. Inmediatamente David Alfaro Siqueiros, quien se encontraba entre el público, levantó la voz en contra, lo que originó un tremendo debate entre los dos artistas. Aunque el problema no pasó a mayores el suceso nos da una idea de la tensión imperante entre ambos bandos. Frida también era una admiradora de Trotsky, un hombre que se había vuelto un fugitivo y una leyenda y la oportunidad para que lo conociera estaba a la vuelta de la esquina.

León Trotsky y Natalia, su mujer, habían sido expulsados de Rusia por el gobierno de Stalin. Su incómoda situación los hizo buscar asilo en Francia y después en Noruega; sin embargo, el gobierno ruso amenazó descontinuar sus importaciones de arenque noruego si no expulsaban a Trotsky de aquel territorio. Desesperados, Trotsky y su mujer enviaron mensajes de ayuda a todos los países posibles. Por fortuna, el gobierno de Lázaro Cárdenas* les dio las facilidades suficientes para que se establecieran en México. Pronto, una comisión encabezada por Frida Kahlo y algunos miembros del movimiento trotskista norteamericano se dirigieron al puerto de Tampico para recibir a los refugiados. Diego Rivera lamentó no poder asistir al encuentro debido a que se hallaba en el hospital, víctima de problemas oculares y renales.

Por supuesto, Diego y Frida coincidieron en que Trotsky sería su huésped, pero no en su residencia de Altavista, sino en la casa azul de Coyoacán. La expectativa que originó la llegada de Trotsky fue mayúscula. Se cuenta que cientos de personas lo esperaban en la estación de ferrocarriles. Cristina, quien vivía en la casa azul junto con su padre, cambió su residencia a un lugar cercano. Esto hizo más cómoda la estancia de Trotsky y su mujer. Frida se convirtió en la principal consejera y guía de la pareja rusa debido a que hablaba perfectamente el inglés.

En cuanto Diego se recuperó de sus males, dispuso todo lo necesario para que se resguardara la seguridad de los invitados, principalmente de Trotsky,

* Lázaro Cardenas aceptó gracias, entre otras cosas, a una carta de Diego Rivera.

quien tenía enemigos políticos prácticamente en cualquier parte del mundo.

Los Trotsky se sintieron muy a gusto en la casa azul. Les encantaba el patio, las habitaciones y los decorados. Además, Diego y Frida hicieron todo lo posible porque se sintieran cómodos en ese lugar. Y así fue, pronto, ambas parejas compartían los alimentos y las tardes.

Un amigo de Diego ofreció una casa en Taxco para que tanto la pareja rusa como la mexicana, vacacionaran sábados y domingos. Allí, Trotsky disfrutaba montando a caballo, mientras Diego pintaba troncos de árboles dándoles forma de cuerpos femeninos.

Frida no tardó en sentirse atraída por el revolucionario ruso. A pesar de que tenía más de sesenta años, Trotsky era un hombre interesante, culto y con un misterioso atractivo. Se dice que era afecto a las mujeres de cualquier edad, en especial a las jóvenes y que no titubeaba para cortejarlas. Hay quien afirma que Cristina Kahlo fue una de las primeras mujeres mexicanas que le fascinó; sin embargo ella no correspondió a sus intenciones. Frida, en cambio, se mostró accesible y dispuesta a establecer una relación con el revolucionario.

El romance se conflagró en poco tiempo. Frida y Trotsky, debían ser muy discretos, pues sabían las consecuencias que podía acarrear su amorío. Por ello, procuraban encontrarse en la casa de Cristina, quien solapaba la relación. Sin embargo, Natalia, la esposa de Trotsky, se enteró de la relación y cayó en una depresión absoluta, reprochándole a su marido su actitud. Obligado por esta situación, Trotsky debió abandonar la casa azul y trasladarse a una finca ubicada cerca de San Miguel Regla, donde vivió solo.

Frida comprendió que no podía seguir con su aventura y decidió terminar su relación con Trotsky. Quien sufrió más de los dos fue el ruso. Un buen bálsamo para Trotsky fue el perdón de Natalia.

En breve, Trotsky abandonó su refugio en San Miguel Regla y regresó a Coyoacán. El revolucionario ruso comprendió que las relaciones con Frida no debían ir más allá de la amistad.

Mientras Trotsky y su esposa vivían en la casa azul, la relación entre Diego y Frida entró en una nueva etapa: a ella le dejaron de importar los amoríos de su esposo y se encargaba de mantener los suyos en secreto. Asimismo, comenzó a pintar intensamente, su técnica se incrementó de manera considerable. Entre 1937 y 1938 pintó más cuadros que en los ocho años anteriores. De etapa destacan producciones como: *Fulang-Chang y yo, Mi nana y yo, El difunto Dimas, Pertenezco a mi dueño, Escuincle y yo, Cuatro habitantes de México, Piden aeroplanos y les dan alas de petate, Niña con máscara de muerte,*

Yo y mi muñeca y las naturalezas muertas: *Tunas, Pitayas* y *Los frutos de la tierra.*

Debido al incremento en su producción artística, Diego le propuso a Frida realizar una exposición en la Galería de Arte de la Universidad. Además, el muralista hizo todo lo posible por conseguirle compradores. Fue el caso de Edward G. Robinson, estrella de cine hollywoodense quien adquirió cuatro cuadros de Frida por la cantidad de 800 dólares.

Kahlo se convenció de que su arte valía la pena y de que su trabajo podría darle libertad económica; podría viajar y hacer lo que quisiera sin pedirle prestado a Diego un solo peso.

Por esas fechas, André Breton, famoso escritor teórico frances, llegó a México junto con su esposa Jacqueline. En un principio el líder del Surrealismo se alojó en la casa de Lupe Marín, pero en poco tiempo fue invitado por Diego y Frida para que compartiera, junto con Jacqueline, la casa de Altavista. Aunque Breton no le cayó muy bien a Frida, su mujer se volvió una extraordinaria compañera para la pintora.

En breve, André Breton, León Trotsky, Diego Rivera y sus respectivas esposas organizaron un viaje a Pátzcuaro, Michoacán. La intención era realizar excursiones a los pueblos que rodean el lago de Pátzcuaro e intercambiar ideas acerca de arte y política. Sin embargo, Frida y Jacqueline se mantuvieron al margen de esas charlas; prefirieron divertirse con pasatiempos como "los cadáveres exquisitos".

André Breton estaba encantado con Frida, y su admiración creció al apreciar los cuadros de la pintora. De inmediato ofreció organizar una exposición en París y escribió un ensayo en el que halagaba las virtudes artísticas de Kahlo.

Los esfuerzos que Diego hizo para que su esposa pudiera exponer en Nueva York no fueron en vano. Pronto, la Galería de Julien Levy aceptó que la mexicana ofreciera una muestra de su trabajo. Frida estaba contenta con la oportunidad que se le presentaba, pero le preocupaba que Diego no pudiera acompañarla debido a sus compromisos. Rivera, aunque no estuvo a su lado, le dio consejos y cartas de recomendación dirigidas a personas importantes; además, redactó una lista con los nombres de la gente que Frida debería invitar a su presentación y en la que incluía a los personajes más reconocidos e influyentes de Nueva York. Frida no tenía nada que temer.

En la ciudad de los rascacielos la noticia corrió con velocidad. Pronto un comunicado de prensa aparecería en las principales publicaciones de Nueva York:

> El martes 1° de noviembre se inaugura una exposición con la pintura de Frida Kahlo (Frida Rivera) en la Galería Julien Levy, en el número 15 al este de la calle 57. Frida Kahlo es esposa de Diego Rivera,

> pero en esta exposición, la primera demuestra ser una fascinante pintora de importancia y por derecho propio...

Frida se presentó ese martes con su típico vestido de tehuana. Hubo una gran cantidad de asistentes que se mostraban animados y ansiosos de conocer a la esposa de Diego Rivera. Ninguno de los presentes recordaba una exposición de tales características. Los cuadros de Frida eran por demás atractivos. La prensa en general reconoció las virtudes de la artista mexicana, aunque claro, no faltaron los críticos que hicieron comentarios en contra de Kahlo. Lo mejor de esa noche fue que se vendió la mitad de los cuadros expuestos. Todo un éxito.

En poco tiempo Frida se convirtió en una celebridad. Por dondequiera que pasara era reconocida, incluso por los niños. Lo que más llamaba la atención, sin duda, eran su atuendo y su belleza. No obstante el acoso de muchos hombres, Frida tenía la convicción de que Diego seguía siendo su gran amor.

Rivera, desde México, mandaba cartas en las que apoyaba una y otra vez a su esposa. Cuando se enteró de que Frida vacilaba en ir a París, Diego no tardó en enviarle el siguiente mensaje:

> No seas ridícula: no quiero que por mí pierdas la oportunidad de ir a París. TOMA DE LA VIDA TODO LO QUE TE DÉ, SEA LO QUE SEA, SIEMPRE QUE TE INTERESE Y TE PUEDA DAR CIERTO PLACER. Cuando se envejece, se sabe qué significa el haber perdido lo que se le ofreció cuando uno no tenía suficientes conocimientos como para aprovecharlo. Si de veras quieres hacerme feliz, debes saber que nada me puede dar más gusto que la seguridad de que tú lo eres. Y tú, mi chiquita, mereces todo…

Frida se convenció de que lo mejor era viajar a París. Sin embargo, las cosas no salieron tan bien como se esperaba, pues André Breton no había hecho los preparativos pertinentes para la exposición. Frida tuvo que esperar varias semanas, hasta que el pintor francés Marcel Duchamp ofreció su ayuda. Al final, una galería llamada Pierre Colle aceptó realizar la muestra. Sólo que Breton pretendía mostrar, junto al trabajo de Frida, algunas fotos de Álvarez Bravo y 14 retratos del siglo XIX, idea que disgustó a la pintora mexicana quien quería una exposición individual.

Además de tener que tolerar la desorganización del evento, Frida cayó enferma debido a una inflamación bacteriana en los riñones. Pero el mal no era tan grave como para terminar con sus aspiraciones. Después de su convalecencia, la pintora pudo interactuar con los más connotados intelectuales de París. Hizo amistad con Paul Eluard y con Max Ernst. En compañía de ellos y de otros amigos, solía visitar los cafés y clubes nocturnos más prestigiados de la ciudad.

En México, la situación entre Diego Rivera y Trotsky se volvía delicada. Diego había cortado relaciones con la Cuarta Internacional y se hizo de palabras con Trotsky. Sin embargo, el refugiado ruso hizo todos los intentos posibles para reconciliarse con su huésped, incluso mandó una carta a Frida en la que le solicitaba su intervención. Por desgracia Kahlo no pudo hacer nada, pues las relaciones entre Diego y Trotsky estaban ya muy deterioradas. Finalmente, el revolucionario tuvo que abandonar la casa azul de Coyoacán.

En París, el día de la exposición llegó. Como lo había planeado Breton, Frida expuso junto a la obra del fotógrafo Manuel Álvarez Bravo y algunas piezas del siglo XIX. Más que cualquier obra de arte, esa noche Frida fue quien llamó la atención. Como había sucedido con los neoyorquinos, los espectadores de París quedaron impresionados con la imagen de la mexicana; no obstante, ella se mantuvo en un rincón debido a que hablaba muy poco francés.

Aunque la exposición no tuvo muy buenos resultados, considerando que se vendieron muy pocas obras, Frida logró el reconocimiento de varios artistas. Según una de sus cartas:

> Hubo una gran cantidad de raza el día del opening, grandes felicitaciones a la chicha, entre ellas un abrazote de Joan Miró y grandes alabanzas de Kandinsky para mi pintura, felicitaciones de Picasso y Tanguy...

La admiración de Picasso hacia Frida fue tal que el pintor español le obsequió unos aretes con forma de pequeñas manos y se ofreció a enseñarle una bella canción, llamada *El huérfano.*

Un 25 de marzo de 1939, Frida abandonó Francia para viajar a Nueva York. Sin duda había dado sus primeros pasos como artista y como mujer independiente.

Prolífica tristeza

Después de pasar una breve temporada en Nueva York, donde, según se rumora, sostuvo un breve romance con Nick Muray, Frida regresó a México. Se dice que Diego Rivera tuvo noticias de esa aventura y no fue capaz de perdonar a su esposa. La separación de la pareja fue inevitable. Frida debió volver a la casa azul de Coyoacán, mientras que Diego se quedó solo en su residencia de Altavista. En septiembre de 1939, comenzaron los trámites de divorcio. Un amigo de Frida, Manuel González Ramírez fungió como su abogado y para finales de ese mismo año el divorcio era una realidad.

Pero no se piense que la separación significó una ruptura total entre la pareja. Según las declaraciones que Diego y Frida daban a los medios, se insistía una y otra vez en que ambos seguían siendo grandes amigos. En alguna ocasión Rivera declaró:

> ...creo que mi decisión ayudará al desarrollo de su vida en la mejor forma posible. Es joven y bella. Ha tenido mucho éxito en los centros artísticos más exigentes. Tiene todas las posibilidades que le puede ofrecer la vida, entre tanto que ya soy viejo y no estoy en condiciones de darle mucho...

Diego y Frida siguieron tratándose con afecto. Ella lo cuidaba como si aún fuera su esposo, se encargaba de su correspondencia y le ayudaba en los asuntos de negocios. Incluso sirvió de intermediaria cuando un ingeniero estadounidense le encargó unos retratos al gran muralista. Además, Diego y Frida seguían organizando reuniones para sus amigos.

A pesar de todo, el divorcio afectó los sentimientos de Frida, quien creía que Diego la había dejado de amar. Para su infortunio, una infección en los dedos de la mano derecha comenzó a aquejarle y le impedía trabajar en sus lienzos, además de que sufría terribles dolores en la espina dorsal. Deprimida y en medio del dolor, realizó uno de sus más reconocidos cuadros: "Las dos Fridas."

Este período de tristeza y soledad terminaría por ser uno de los más fecundos en la carrera de la pintora. Frida realizaba cuadro tras cuadro con la esperanza de sobrevivir gracias a su arte y lograr una absoluta independencia de Diego. Algunas amistades le sugirieron que entrara al concurso de becas que organizaba la Fundación Guggenheim. Frida se entusiasmó con la idea y se dio a la tarea de buscar patrocinadores, así como cartas de recomendación. Ambas cosas las conseguiría sin mayores problemas: André Breton, Marcel Duchamp y otros le entregaron sendas cartas donde la recomendaban ampliamente. Sin embargo, la beca no le fue otorgada a ella.

Poco después, en mayo de 1940 hubo un suceso terrible. David Alfaro Siqueiros y un grupo de stalinistas entraron en la casa de Trotsky con la firme intención de asesinarlo. Trotsky y su esposa salieron ilesos del atentado, gracias a que lograron esquivar las balas, mas como era de esperarse la justicia buscó a los responsables del atentado.

Siqueiros fue encontrado y encarcelado, pero sus excelentes relaciones con Lázaro Cárdenas hicieron posible que obtuviera su libertad, con una sola condición: que abandonara el país. Siqueiros se refugió en Chile donde pintó algunos murales.

Con la liberación de Siqueiros, las miradas se volvieron hacia Rivera. Algunos sospechaban que el pintor había sido el responsable intelectual del atentado. Por supuesto, se trataba de un error, pero Diego no quiso arriesgarse y se vio en la penosa necesidad de huir a San Francisco.

Frida recibió la noticia nuevamente cayó enferma. Para su desgracia, Ramón Mercader, un agente encubierto que tenía órdenes de asesinar a Trotsky arribó a la Ciudad de México. Gracias a su astucia y entrenamiento, este hombre ganaría la confianza de Frida y de esta forma tuvo todas las facilidades para vigilar los movimientos de Trotsky y aprovechar el momento oportuno para asesinarlo.

El homicidio conmocionó a la sociedad y a la justicia de nuestro país. De inmediato la policía sospechó de Frida Kahlo y procedió a arrestarla. Un grupo de 37 policías revisó la casa de la pintora y ella fue conducida a la cárcel. Frida pasó dos días insufribles, llorando y defendiendo su inocencia. Al final, se comprobó que Kahlo no tenía nada que ver con el asesinato. Sin embargo, todas estas impresiones agravaron su salud. Además de sus dolencias, Frida se vio embargada por una crisis nerviosa muy severa. Al enterarse de esto, Diego quiso ayudar a su gran amiga y por medio del doctor Eloeser consiguió que Frida aceptara reunirse con él en Estados Unidos. En cuanto Frida se reencontró con el gran amor de su vida, su estado de salud mejoró. Sin duda, su alegría se incrementó cuando recibió una propuesta de Diego: volverse a casar.

El mismo día que cumplió 54 años de edad, es decir el 8 de diciembre de 1940, Diego contrajo nupcias por segunda vez con Frida Kahlo. La ceremonia fue muy sencilla y breve. Sólo estuvieron presentes dos amigos: Arthur Niendorff, quien era asistente de Diego y su esposa Alice. Frida se veía mejor que nunca, ataviada con un traje español compuesto por una larga falda de color verde y un chal color café.

Frida y Diego pasaron dos semanas juntos en San Francisco. Debido a que se acercaban las épocas navideñas Frida tuvo que regresar a México para estar con su familia. Diego por su parte trabajó en un mural que se le había encargado en la Isla del Tesoro. Pronto, el muralista, recibiría una buena noticia: Ramón Mercader, el verdadero asesino de Trotsky había sido arrestado. De inmediato, Rivera terminó su trabajo e hizo sus maletas para regresar a México.

La pareja se instaló en la casa azul de Coyoacán para vivir uno de los períodos más armoniosos de su vida. La rutina entre ambos, en lugar de volverse tediosa, se convirtió en una convivencia alegre y pacífica. Frida se ocupaba de sus labores en el hogar cual típica mujer mexicana, mientras que Diego trabajaba intensamente en cada proyecto que se le presentaba.

El ánimo de Frida era tan bueno que sólo pudo verse opacado con la muerte de Guillermo Kahlo. La Segunda Guerra Mundial y los ataques a Rusia aumentaron su congoja, y Diego compartía su sufrimiento, pues era un promotor de la paz entre las naciones. La pareja necesitaba alejarse de las terribles noticias generadas por la guerra. Quizás esto los incitó a construir el Anahuacalli*, un tenebroso templo-museo ubicado cerca de Coyoacán. Según Diego: "A través de toda la guerra ese edificio fue nuestra casa".

Dos hechos distrajeron a Frida de la confrontación mundial: el Seminario de Cultura Mexicana la nombraba miembro fundadora y le asignaba el cargo de maestra, y ese mismo año de 1942, se haría acreedora a una beca y se encargaría de dar conferencias en varios lugares de nuestro país.

Al fin, su carrera se reconocía. La escuela de arte La Esmeralda, que hasta nuestros días es una de las

* Actualmente ese lugar sirve como resguardo para la colección de figuras prehispánicas de Rivera (N. del Autor).

más importantes, también le otorgó un puesto como maestra. La Esmeralda era una escuela de arte libre en la cual los alumnos podían salir de las aulas para recorrer las calles o el campo en busca de inspiración. Además, los estudiantes recibían clases de matemáticas, español, francés e historia del arte. Puesto que la mayoría de los alumnos provenía de las clases media y baja, la escuela les proporcionaba los materiales suficientes para la realización de sus trabajos.

Doce horas a la semana Frida impartía cátedra a sus alumnos. Contrario a lo que pudiera pensarse, Frida trató a sus discípulos con gran cariño y siempre estimulándolos. Evitaba hablar de la técnica o del estilo, simplemente les enseñaba el gusto por el arte popular.

Debido a que su estado de salud desmejoraba, Frida tuvo que trasladar sus clases a la casa azul de Coyoacán. Fue por estas fechas cuando se le impuso utilizar un corsé de acero que mantendría su columna vertebral en una posición adecuada. Con la ayuda de Diego, la artista consiguió que sus alumnos hicieran un mural en la pulquería "La Rosita". Aunque nos parezca curioso, el resultado fue un excelente trabajo artístico. El día de la inauguración asistieron las principales personalidades de la cultura, así como los vecinos de Coyoacán. El éxito les permitió a los alumnos continuar su labor en otros expendios de pulque.

Al grupo de pintores que tomaban clase en la casa azul se les dio el nombre de "Los fridos". Según Diego Rivera este grupo constituyó uno de los más importantes de aquella época.

Por desgracia, la salud de Frida iba de mal en peor. Con el corsé de acero no logró ninguna mejoría; al contrario, bajó tanto de peso que llegó a necesitar transfusiones sanguíneas. Hacia 1945 los médicos le fabricaron un zapato ortopédico para el pie derecho y tomaron la decisión de cambiar el corsé de acero por uno de yeso, pero éste le provocó tantos dolores en la espalda y la cabeza que debieron quitárselo.

Al tiempo que el Ministerio de Cultura decide otorgarle el Premio Nacional de Pintura, los médicos de Frida toman una decisión drástica: la pintora debía someterse a una intervención quirúrgica. La operación sería bastante delicada, ya que se pretendía soldar cuatro vértebras lumbares con la ayuda de una placa metálica y una parte de la pelvis. Frida aceptó someterse a la operación y viajó a la ciudad de Nueva York. En compañía de Cristina, Frida llegó a la ciudad de los rascacielos y se internó en el Hospital for Special Surgery.

Al principio se pensó que la intervención quirúrgica había sido un éxito; sin embargo, cuando Frida regresó a México, los dolores en la espalda comenzaron a ser insoportables. Ni siquiera las altas dosis de morfina lograban sedarla. En breve, los médicos mexicanos hicieron un descubrimiento terrible: se habían cometido errores en la operación.

Frida empeoraba. Además de los dolores, la pierna derecha estaba prácticamente sin posibilidades de moverse, mientras que la mano derecha presentaba una seria dermatosis. Afortunadamente, Frida se concentró en su oficio de pintora logrando excelentes cuadros, entre los que destacan: *Autorretrato con Diego en mi pensamiento, Pensando en la muerte, La columna rota, Diego y Frida, La novia que se asusta al ver la vida abierta, Sin esperanza La venadita y Árbol de la esperanza,* todos ellos reflejo del dolor que experimentaba.

Las intervenciones quirúrgicas se sucedían una tras otra sin resultados favorables. Cada vez que Frida era internada en un hospital comenzaba el suplicio. En ocasiones debían colgarla de unos anillos de acero o con bolsas de arena atadas a los pies. Frida describe el período que transcurrió entre 1950 y 1951 con una sola frase: "he estado enferma todo un año".

Nueve meses debió estar internada en el Hospital Inglés. La pérdida de cuatro dedos del pie fue algo que tuvo que soportar con estoicismo, ya que la gangrena le amenazaba. La pintora, además, tuvo que ser intervenida de nueva cuenta, y esta vez los resultados fueron desastrosos: la herida provocada por el bisturí se había infectado. De nada sirvieron las constantes revisiones, las vitaminas y las transfusiones de sangre. El cuerpo de Frida estaba cansado de luchar contra tanto dolor.

Diego, el gran compañero de Frida, se trasladó al hospital para instalarse en un cuarto aledaño al de su esposa. Las hermanas Kahlo, por supuesto, estaban siempre junto a ella, tratando de animarla y de hacerle pasar buenos momentos. El deseo de Frida era recuperar su salud y volver a la pasión de su vida: pintar. Para su fortuna, después de la sexta operación los médicos le dieron permiso de volver a tomar el pincel. Con ingenio, los familiares de Frida instalaron un caballete cerca de su cama. Allí, Frida Kahlo pintaría un cuadro dedicado al doctor Farril a quien le agradecía haberle salvado la vida.

Cuando los médicos la dieron de alta, Frida regresó a la casa azul de Coyoacán. Si bien la mayor parte del tiempo la pasaba en su silla de ruedas, tenía aún las fuerzas para tomar el bastón y caminar unos cuantos pasos.

La mayoría de los críticos especializados coinciden en que su estado de salud afectó la calidad de sus obras. Los trazos eran menos precisos y la aplicación de colores desordenada. Parece que las drogas que le fueron recetadas eran muy fuertes y afectaban sus sentidos. Además, para evadir el dolor, Frida acostumbraba beber todo el alcohol posible que estuviera a su alcance. Los dolores y el cansancio, sin embargo, terminaron por postrarla en la cama. Obviamente, ante la impotencia, Frida se mostraba huraña con sus amigos, inclusive con Diego.

Había que hacer algo por esa mujer que se moría entre el dolor y la desesperación. Lola Álvarez Bravo fue una de esas personas que se solidarizó con Frida. La fotógrafa decidió hacer una exposición de la obra de Frida en el Galería de Arte Contemporáneo. Frida, al recibir la noticia, se alegró tanto que su estado de salud tuvo una leve mejoría: era su primera exposición exclusiva en México. Desde su lecho, envió invitaciones a todos sus amigos al tiempo que se preparaba para la inauguración.

Días antes del evento, los doctores le prohibieron moverse, sin embargo Frida no estaba dispuesta a quedarse en casa mientras los demás participaban en el evento. En lo que significó una de las anécdotas más curiosas de su vida, la noche de la inauguración Frida llegó a la galería en una camilla de hospital. Los asistentes y sus amigos estaban admirados de que aquella mujer tuviera tanta fortaleza. No obstante a pesar de sus males, Frida, se mostró muy agradecida con el público y feliz de que su obra fuese apreciada por propios y extraños. La exposición alcanzó fama mundial, que de París, de Estados Unidos, de Londres llegaron llamadas pidiendo detalles acerca de la misma.

El cuerpo enfermo de Frida Kahlo se resentía cada vez más. En 1953 fue necesario que los médicos le amputaran la pierna derecha, pues la gangrena no dejaba de ser una amenaza constante. La pérdida de una parte de su cuerpo fue un golpe durísimo para la pintora. Estaba tan desmoralizada que no quería ver a nadie, ni siquiera a Diego, para lo cual le pedía a su enfermera que mintiera diciendo que estaba dormida y que por ello no podía atender a nadie. Pero el cariño de Diego era más grande que cualquier desdén. Sin importarle la actitud de su esposa él solía entrar en su cuarto para platicarle las anécdotas de todo lo que le sucedía, le leía, e incluso le cantaba.

Los médicos pretendieron hacerle una prótesis, aunque Frida no estuvo muy de acuerdo con la idea. Cuando intentó utilizar el aparato cayó al suelo y, por supuesto, el encono contra las decisiones de los médicos se incrementó. No obstante, haciendo acopio de todas sus fuerzas, Frida pudo reincorporarse al cabo de tres meses y caminar un poco. Además, tomó el pincel para ocuparse en la pintura. Sin embargo, sus esperanzas de vivir iban disminuyendo inevitablemente.

El último acto público al que Frida Kahlo asistió fue a una manifestación en contra del gobierno estadounidense. La Agencia Central de Inteligencia, la CIA había impuesto al general Castillo Armas como presidente de Guatemala. El hecho indignó a los principales sectores culturales y políticos de nuestro país, y sin importarle las recomendaciones de los médicos, Frida solicitó a su esposo que la llevara en su silla de ruedas. Fue un acto increíble que demostraba la entereza de esta mujer.

Mil novecientos cincuenta y cuatro fue el último año de Frida. Según Diego Rivera, unos días antes de su muerte la pintora sufrió lo indecible. Además de los constantes dolores, Frida tenía bronconeumonía y los médicos ya la habían desahuciado. De acuerdo con el muralista, la noche anterior a su muerte, ella le dio el anillo que le había comprado para celebrar sus bodas de plata, pero ese día no llegó, porque la mañana del 13 de julio, Frida sería encontrada muerta en su habitación.

La noticia conmocionó a los principales círculos artísticos del país. Se tomó la decisión de velarla en el Palacio de Bellas Artes, donde una extensa fila de personas aguardaba para ver por última ocasión a la mujer que había encantado al mundo. Aproximadamente 600 personas hicieron guardia junto a su féretro. Los restos de Frida fueron cremados y sus cenizas depositadas en una urna precolombina la cual se encuentra en la casa azul de Coyoacán.

En el 2004 se conmemoraron los 50 años de la muerte de Frida Kahlo. Por tal motivo, las autoridades del Consejo Nacional para la Cultura y las Artes y del Instituto Nacional de Bellas Artes, organizaron un sinfín de homenajes que van desde exposiciones hasta la edición de nuevos libros acerca de su vida. Es nuestro deber concluir esta biografía con los versos del poeta Carlos Pellicer, quien fue gran amigo de Frida:

Siempre estarás sobre la tierra viva,
siempre serás motín lleno de auroras,
la heroica flor de auroras sucesivas.

ÍNDICE

Colección Biografías

Adolfo Hitler, Edgar Rodrigo Gasca Flores.
Alejandro Magno, José Rodríguez.
Albert Einstein, Alejandro Torres.
Bob Marley, Marlene Gómez Sánchez.
Buda, Pablo López.
Carlomagno, José Rodríguez.
Carlos Marx, Alejandro Torres.
Cleopatra, Alejandro Torres.
Confucio, Alejandro Torres.
Cuauhtémoc, Everardo Gabino Carlos González.
Emiliano Zapata, Ettore Pierri.
Ernest Hemingway, Marlene Gómez Sánchez.
Ernesto "Che" Guevara, Jesús Gabriel González.
Fidel Castro, Abraham Camacho López.
Francisco Villa, Ettore Pierri.
Frida Kahlo, Alejandro Torres.
Galileo Galilei, Alejandro Torres.
Gandhi, Josefina Torres Pacheco.
Jack ***El Destripador***, Roberto Gómez Martínez
Jesús, Carolina Maomed.
Jim Morrison, Ana Cecilia González Casas.
Jimi Hendrix, Sergio Gaspar Mosqueda.
John F. Kennedy, Jesús Gabriel González.
John Lennon, Sergio Gaspar Mosqueda.
Judas Iscariote, Ana Cecilia González.
Julio César, Jesús Gabriel González.
Led Zeppelin, Héctor Germán Zenil Zavala.
Lenin, Ana Cecilia González.
Leonardo da Vinci, Abraham Camacho López.
Madre Teresa de Calcuta, José Rodríguez.
Mahoma, Carolina Maomed.
Marqués de Sade, Delton Manuel González.
Napoleón Bonaparte, Rolando Diez Laurini.
Pedro Infante, Jesús Gabriel González.
Porfirio Díaz, Paulina García.
Platón, Alejandro Torres.
Rasputín, Jesús Gabriel González.
William Shakespeare, Héctor Zenil Sánchez.
Sócrates, José Rodríguez.
Sor Juana Inés de la Cruz, Adriana Chávez Castro.
Stalin, Everardo Gabino Carlos.
Los Beatles, Sergio Gaspar Mosqueda.
Vincent Van Gogh, Josefina Torres Pacheco.

ESTA OBRA SE TERMINÓ DE IMPRIMIR EN EL MES DE AGOSTO
DEL 2009 EN **GRAFIMEX IMPRESORES S.A. DE C.V.,**
BUENAVISTA 98-D COL. SANTA ÚRSULA COAPA
C.P. 04650 MÉXICO, D.F. TEL.: 3004-4444